André Méchand

LA MACHINE INFERNALE

ŒUVRES DU MÊME AUTEUR

publiées par Bernard Grasset, éditeur.

JOURNAL D'UN INCONNU.

LES ENFANTS TERRIBLES, *roman.*

60 DESSINS POUR LES ENFANTS TERRIBLES.

LA MACHINE INFERNALE, *pièce.*

ESSAI DE CRITIQUE INDIRECTE

(avec une introduction de Bernard Grasset).

PORTRAITS-SOUVENIR.

LETTRE AUX AMÉRICAINS.

REINES DE LA FRANCE.

COLETTE.

Parus dans le Livre de Poche :

THOMAS L'IMPOSTEUR.

LES ENFANTS TERRIBLES.

LES PARENTS TERRIBLES.

JEAN COCTEAU

DE L'ACADÉMIE FRANÇAISE

La machine infernale

PIÈCE EN 4 ACTES

BERNARD GRASSET

DEDICACE

A MARIE-LAURE
ET A CHARLES DE NOAILLES

J'ai souvent répété qu'une chose ne pouvait à la fois *être* et *avoir l'air*. Ce credo perd de son exactitude lorsqu'il s'agit du théâtre, sorte d'enchantement assez louche où l'*avoir l'air* règne comme le trompe-l'œil sur les plafonds italiens. Or, cet enchantement, personne au monde n'en exploite mieux les ressources que Christian Bérard, lorsqu'il oppose au réalisme et aux stylisations ce sens de la vérité en soi, d'une vérité qui dédaigne la réalité, méthode inimitable n'ayant d'autre objectif que de mettre dans le mille à chaque coup.

Je lui composai d'abord une dédicace de reconnaissance, mais, en somme, n'est-il pas logique de nous unir pour dédier ensemble une collaboration si profonde à Marie-Laure et à Charles de Noailles, singulier ménage d'artistes, possédant le génie sous sa forme la plus rare, je veux dire le génie du cœur.

... à ce point que je ne conçois
guère (mon cerveau serait-il un
miroir ensorcelé?) un type de
beauté où il n'y ait du *malheur*.
.. ..

J'ai essayé plus d'une fois,
comme tous mes amis, de m'en-
fermer dans un système pour y
prêcher à mon aise. Mais un
système est une espèce de damna-
tion... Je suis revenu chercher un
asile dans l'impeccable naïveté.
C'est là que ma conscience phi-
losophique a trouvé le repos.

CHARLES BAUDELAIRF.

Les dieux existent : c'est le
diable.

J. C.

PERSONNAGES

ŒDIPE	Jean-Pierre Aumont.
ANUBIS	Robert le Vigan.
TIRÉSIAS	Pierre Renoir.
CRÉON	André Moreau.
LE FANTÔME DE LAÏUS	Julien Barrot.
LE JEUNE SOLDAT	Yves Forget.
LE SOLDAT	Robert Moor.
LE CHEF	Romain Bouquet.
LE MESSAGER DE CORINTHE	Marcel Khill.
LE BERGER DE LAÏUS	Louis Jouvet.
UN PETIT GARÇON DU PEUPLE	Michel Monda.
LA VOIX	Jean Cocteau.
JOCASTE	Marthe Régnier.
LE SPHINX	Lucienne Bogaert.
LA MATRONE	Jeanne Lory.
ANTIGONE	Andrée Servilanges.
UNE PETITE FILLE DU PEUPLE	Vera Phares.

LA MACHINE INFERNALE a été représentée pour la première fois au théâtre Louis-Jouvet (Comédie des Champs-Élysées) le 10 avril 1934, avec les décors et les costumes de Christian Bérard.

ACTE PREMIER [1]

LE FANTOME

1. Les quatre décors seront plantés sur une petite estrade au centre de la scène, entourée de toiles nocturnes. L'estrade changera de pente selon la nécessité des perspectives. Outre les éclairages de détail, les quatre actes baignent dans l'éclairage livide et fabuleux du mercure.

LA VOIX

« *Il tuera son père. Il épousera sa mère.* »

Pour déjouer cet oracle d'Apollon, Jocaste, reine de Thèbes, abandonne son fils, les pieds troués et liés, sur la montagne. Un berger de Corinthe trouve le nourrisson et le porte à Polybe. Polybe et Mérope, roi et reine de Corinthe, se lamentaient d'une couche stérile. L'enfant, respecté des ours et des louves, Œdipe, ou *Pieds percés,* leur tombe du ciel. Ils l'adoptent.

Jeune homme, Œdipe interroge l'oracle de Delphes.

Le dieu parle : *Tu assassineras ton père et tu épouseras ta mère.* Donc il faut fuir Polybe et Mérope. La crainte du parricide et de l'inceste le jette vers son destin.

Un soir de voyage, au carrefour où les chemins de Delphes et de Daulie se croisent, il rencontre une escorte. Un cheval le bouscule;

une dispute éclate; un domestique le menace; il riposte par un coup de bâton. Le coup se trompe d'adresse et assomme le maître. Ce vieillard mort est Laïus, roi de Thèbes. Et voici le parricide.

L'escorte craignant une embuscade a pris le large. Œdipe ne se doute de rien; il passe. Au reste, il est jeune, enthousiaste; il a vite oublié cet accident.

Pendant une de ses haltes, on lui raconte le fléau du Sphinx. Le Sphinx, « la Jeune fille ailée », « la Chienne qui chante », décime la jeunesse de Thèbes. Ce monstre pose une devinette et tue ceux qui ne la devinent pas. La reine Jocaste, veuve de Laïus, offre sa main et sa couronne au vainqueur du Sphinx.

Comme s'élancera le jeune Siegfried, Œdipe se hâte. La curiosité, l'ambition le dévorent. La rencontre a lieu. De quelle nature, cette rencontre? Mystère. Toujours est-il que le jeune Œdipe entre à Thèbes en vainqueur et qu'il épouse la reine. Et voilà l'inceste.

Pour que les dieux s'amusent beaucoup, il importe que leur victime tombe de haut. Des années s'écoulent, prospères. Deux filles, deux fils compliquent les noces monstrueuses. Le peuple aime son roi. Mais la peste éclate. Les dieux accusent un criminel anonyme d'infecter le pays et ils exigent qu'on le chasse. De recherche en recherche et comme enivré de malheur, Œdipe arrive au pied du mur. Le piège se ferme. Lumière est faite. Avec son écharpe rouge Jocaste se pend. Avec la broche d'or de la femme pendue, Œdipe se crève les yeux.

Regarde, spectateur, remontée à bloc, de telle sorte que le ressort se déroule avec lenteur tout le long d'une vie humaine, une des plus parfaites machines construites par les dieux infernaux pour l'anéantissement mathématique d'un mortel.

Un chemin de ronde sur les remparts de Thèbes.
Hautes murailles. Nuit d'orage. Eclairs de
chaleur. On entend le tam-tam et les musiques
du quartier populaire.

LE JEUNE SOLDAT

Ils s'amusent!

LE SOLDAT

Ils essaient.

LE JEUNE SOLDAT

Enfin, quoi, ils dansent toute la nuit.

LE SOLDAT

Ils ne peuvent pas dormir, alors, ils dansent.

LE JEUNE SOLDAT

C'est égal, ils se soûlent et ils font l'amour
et ils passent la nuit dans les boîtes, pendant
que je me promène de long en large avec toi.

Eh bien, moi je n'en peux plus! Je n'en peux plus! Je n'en peux plus! Voilà, c'est simple, c'est clair : Je n'en peux plus.

LE SOLDAT

Déserte.

LE JEUNE SOLDAT

Non, non. Ma décision est prise. Je vais m'inscrire pour aller au Sphinx!

LE SOLDAT

Pour quoi faire?

LE JEUNE SOLDAT

Comment pour quoi faire? Mais pour faire quelque chose! Pour en finir avec cet énervement, avec cette épouvantable inaction.

LE SOLDAT

Et la frousse?

LE JEUNE SOLDAT

Quelle frousse?

LE SOLDAT

La frousse quoi... la frousse! J'en ai vu de plus malins que toi et de plus solides qui l'avaient, la frousse. A moins que monsieur veuille abattre le Sphinx et gagner le gros lot.

LE JEUNE SOLDAT

Et pourquoi pas, après tout? Le seul res-

capé du Sphinx est devenu idiot, soit. Mais
si ce qu'il radote était vrai. Suppose qu'il
s'agisse d'une devinette. Suppose que je la devine. Suppose...

LE SOLDAT

Mais ma pauvre petite vache, est-ce que tu
te rends bien compte que des centaines et des
centaines de types qui ont été au stade et à
l'école et tout, y ont laissé leur peau, et tu voudrais, toi, toi, pauvre petit soldat de deuxième
classe...

LE JEUNE SOLDAT

J'irai! J'irai, parce que je ne peux plus
compter les pierres de ce mur, et entendre
cette musique, et voir ta vilaine gueule et...

Il trépigne.

LE SOLDAT

Bravo, héros! Je m'attendais à cette crise de
nerfs. Je la trouve plus sympathique. Allons...
Allons... ne pleurons plus... Calmons-nous...
là, là, là...

LE JEUNE SOLDAT

Je te déteste!

Le soldat cogne avec sa lance contre le mur derrière le jeune soldat. Le jeune soldat s'immo-
bilise.

LE SOLDAT

Qu'est-ce que tu as?

LE JEUNE SOLDAT

Tu n'as rien entendu?

LE SOLDAT

Non... Où?

LE JEUNE SOLDAT

Ah!... il me semblait... J'avais cru...

LE SOLDAT

Tu es vert... Qu'est-ce que tu as?... Tu tournes de l'œil?

LE JEUNE SOLDAT

C'est stupide... Il m'avait semblé entendre un coup. Je croyais que c'était lui!

LE SOLDAT

Le Sphinx?

LE JEUNE SOLDAT

Non, lui, le spectre, le fantôme quoi!

LE SOLDAT

Le fantôme? Notre cher fantôme de Laïus? Et c'est ça qui te retourne les tripes. Par exemple!

LE JEUNE SOLDAT

Excuse-moi.

LE SOLDAT

T'excuser, mon pauvre bleu? Tu n'es pas fou! D'abord, il y a des chances pour qu'il ne s'amène plus après l'histoire d'hier, le fantôme. Et d'une. Ensuite, de quoi veux-tu que je t'excuse? Un peu de franchise. Ce fantôme, il ne nous a guère fait peur. Si... Peut-être la première fois... Mais ensuite, hein?... C'était un brave homme de fantôme, presque un camarade, une distraction. Alors, si l'idée de fantôme te fait sauter en l'air, c'est que tu es à cran, comme moi, comme tout le monde, riche ou pauvre à Thèbes, sauf quelques grosses légumes qui profitent de tout. La guerre, c'est déjà pas drôle, mais crois-tu que c'est un sport que de se battre contre un ennemi qu'on ne connaît pas. On commence à en avoir soupé des oracles, des joyeuses victimes et des mères admirables. Crois-tu que je te taquinerais comme je te taquine, si je n'avais pas les nerfs à cran, et crois-tu que tu aurais des crises de larmes et crois-tu qu'ils se soûleraient et qu'ils danseraient là-bas! Ils dormiraient sur les deux oreilles, et nous attendrions notre ami fantôme en jouant aux dés.

LE JEUNE SOLDAT

Dis donc...

LE SOLDAT

Eh bien?...

LE JEUNE SOLDAT

Comment crois-tu qu'il est... le Sphinx?

LE SOLDAT

Laisse donc le Sphinx tranquille. Si je savais comment il est, je ne serais pas avec toi, de garde, cette nuit.

LE JEUNE SOLDAT

Il y en a qui prétendent qu'il n'est pas plus gros qu'un lièvre, et qu'il est craintif, et qu'il a une toute petite tête de femme. Moi, je crois qu'il a une tête et une poitrine de femme, et qu'il couche avec les jeunes gens.

LE SOLDAT

Allons! Allons! Tiens-toi tranquille, et n'y pense plus.

LE JEUNE SOLDAT

Peut-être qu'il ne demande rien, qu'il ne vous touche même pas. On le rencontre, on le regarde et on meurt d'amour.

LE SOLDAT

Il te manquait de tomber amoureux du fléau public. Du reste, le fléau public... entre nous, veux-tu savoir ce que j'en pense du fléau public?... C'est un vampire! Un simple vampire! Un bonhomme qui se cache et sur lequel la police n'arrive pas à mettre la main.

LE JEUNE HOMME

Un vampire à tête de femme?

LE SOLDAT

Oh! celui-là!... Non! Non! Non! Un vieux vampire, un vrai! Avec une barbe et des moustaches, et un ventre, et il vous suce le sang, et c'est pourquoi on rapporte aux familles des machabées avec tous la même blessure, au même endroit : au cou! Et maintenant, vas-y voir si ça te chante.

LE JEUNE SOLDAT

Tu dis que...

LE SOLDAT

Je dis que.. Je dis que.. Hop!... Le chef.

Ils se lèvent et se mettent au garde-à-vous. Le chef entre et croise les bras.

LE CHEF

Repos!... Alors... mes lascars... C'est ici qu'on voit des fantômes?

LE SOLDAT

Chef...

LE CHEF

Taisez-vous! Vous parlerez quand je vous interrogerai. Lequel de vous deux a osé...

LE JEUNE SOLDAT

C'est moi, chef.

LE CHEF

Nom de nom! A qui la parole? Allez-vous

vous taire? Je demande : lequel de vous deux
a osé faire parvenir en haut lieu un rapport
touchant le service, sans passer par la voie
hiérarchique. En sautant par-dessus ma tête.
Répondez.

LE SOLDAT

Chef, ce n'est pas sa faute, il savait...

LE CHEF

Est-ce toi ou lui?

LE JEUNE SOLDAT

C'est nous deux, mais c'est moi qui ai...

LE CHEF

Silence! Je demande comment le grand
prêtre a eu connaissance de ce qui se passe la
nuit à ce poste, alors que je n'en ai pas eu
connaissance, moi!

LE JEUNE SOLDAT

C'est ma faute, chef, c'est ma faute. Mon
collègue ne voulait rien dire. Moi, j'ai cru
qu'il fallait parler, et comme cette histoire ne
concernait pas le service... enfin quoi... j'ai
tout raconté à son oncle; parce que la femme
de son oncle est la sœur d'une lingère de la
reine, et que le beau-frère est au temple de
Tirésias.

LE SOLDAT

C'est pourquoi j'ai dit, chef, que c'était ma
faute.

LE CHEF

Assez! Ne me cassez pas les oreilles. Donc...
cette histoire ne concerne pas le service. Très
bien, très bien! Et... cette fameuse histoire,
qui ne concerne pas le service, est une histoire
de revenants, il paraît?

LE JEUNE SOLDAT

Oui, chef!

LE CHEF

Un revenant vous est apparu pendant une
nuit de garde, et ce revenant vous a dit... Au
fait, que vous a-t-il dit, ce revenant?

LE JEUNE SOLDAT

Il nous a dit, chef, qu'il était le spectre du
roi Laïus, qu'il avait essayé plusieurs fois d'apparaître depuis son meurtre, et qu'il nous
suppliait de prévenir, en vitesse, par n'importe
quel moyen, la reine Jocaste et Tirésias.

LE CHEF

En vitesse! Voyez-vous cela! Quel aimable
fantôme! Et... ne lui avez-vous pas demandé,
par exemple, ce qui vous valait l'honneur de
sa visite et pourquoi il n'apparaissait pas di-
rectement chez la reine ou chez Tirésias?

LE SOLDAT

Si, chef, je le lui ai demandé, moi. Il nous
a répondu qu'il n'était pas libre de se mani-

fester n'importe où, et que les remparts étaient l'endroit le plus favorable aux apparitions des personnes mortes de mort violente, à cause des égouts.

LE CHEF

Des égouts?

LE SOLDAT

Oui, chef. Il a dit des égouts, rapport aux vapeurs qui ne se forment que là.

LE CHEF

Peste! Voilà un spectre des plus savants et qui ne cache pas sa science. Vous a-t-il effrayé beaucoup au moins? Et à quoi ressemblait-il? Quelle tête avait-il? Quel costume portait-il? Où se tenait-il, et quelle langue parlait-il? Ses visites sont-elles longues ou courtes? L'avez-vous vu à plusieurs reprises? Bien que cette histoire ne concerne pas le service, je serais curieux, je l'avoue, d'apprendre de votre bouche quelques détails sur les mœurs des revenants.

LE JEUNE SOLDAT

On a eu peur, la première nuit, chef, je l'avoue. Il faut vous dire qu'il est apparu très vite, comme une lampe qui s'allume, là, dans l'épaisseur de la muraille.

LE SOLDAT

Nous l'avons vu ensemble.

LE JEUNE SOLDAT

On distinguait mal la figure et le corps; on voyait surtout la bouche quand elle était ouverte, et une touffe de barbe blanche, et une grosse tache rouge, rouge vif, près de l'oreille droite. Il s'exprimait difficilement, et il n'arrivait pas à mettre les phrases au bout les unes des autres. Mais là, chef, interrogez voir mon collègue. C'est lui qui m'a expliqué pourquoi le pauvre homme n'arrivait pas à s'en sortir.

LE SOLDAT

Oh! chef, ce n'est pas sorcier! Il dépensait toute sa force pour apparaître, c'est-à-dire pour quitter sa nouvelle forme et reprendre sa vieille forme, qui nous permette de le voir. La preuve, c'est que chaque fois qu'il parlait un peu moins mal, il disparaissait, il devenait transparent, et on voyait le mur à travers.

LE JEUNE SOLDAT

Et dès qu'il parlait mal, on le voyait très bien. Mais on le voyait mal dès qu'il parlait bien et qu'il recommençait la même chose : « La reine Jocaste. Il faut... il faut... la reine... la reine... la reine Jocaste... Il faut prévenir la reine... Il faut prévenir la reine Jocaste... Je vous demande, messieurs, je vous demande, je... je... Messieurs... je vous... il faut... il faut... je vous demande, messieurs, de prévenir... je vous demande... La reine... la reine Jocaste... de pré-

venir la reine Jocaste... de prévenir, messieurs,
de prévenir... Messieurs... Messieurs... Messieurs... » C'est comme ça qu'il faisait.

LE SOLDAT

Et on voyait qu'il avait peur de disparaître
sans avoir dit toutes ses paroles jusqu'à la fin.

LE JEUNE SOLDAT

Et dis voir, écoute un peu, tu te rappelles :
chaque fois le même truc : la tache rouge part
la dernière. On dirait un fanal sur le mur, chef.

LE SOLDAT

Tout ce qu'on raconte, c'est l'affaire d'une
minute!

LE JEUNE SOLDAT

Il est apparu à la même place, cinq fois, toutes
les nuits un peu avant l'aurore.

LE SOLDAT

C'est seulement la nuit dernière, après une
séance pas comme les autres... enfin, bref, on
s'est un peu battus, et mon collègue a décidé
de tout dire à la maison.

LE CHEF

Tiens! Tiens! Et en quoi consistait cette
séance « pas comme les autres », qui a, si je ne
me trompe, provoqué entre vous une dispute...

LE SOLDAT

Eh bien, chef... Vous savez, la garde, c'est pas très folichon.

LE JEUNE SOLDAT

Alors le fantôme, on l'attendait plutôt.

LE SOLDAT

On pariait, on se disait :

LE JEUNE SOLDAT

Viendra.

LE SOLDAT

Viendra pas...

LE JEUNE SOLDAT

Viendra...

LE SOLDAT

Viendra pas... et tenez, c'est drôle à dire, mais ça soulageait de le voir.

LE JEUNE SOLDAT

C'était comme qui dirait une habitude.

LE SOLDAT

On finissait par imaginer qu'on le voyait quand on ne le voyait pas. On se disait : Ça bouge! Le mur s'allume. Tu ne vois rien? Non. Mais si. Là, là, je te dis... Le mur n'est pas pareil, voyons, regarde, regarde!

LE JEUNE SOLDAT

Et on regardait, on se crevait les yeux, on n'osait plus bouger.

LE SOLDAT

On guettait la moindre petite différence.

LE JEUNE SOLDAT

Enfin, quand ça y était, on respirait, et on n'avait plus peur du tout.

LE SOLDAT

L'autre nuit, on guettait, on guettait, on se crevait les yeux, et on croyait qu'il ne se montrerait pas, lorsqu'il arrive, en douce... pas du tout vite comme les premières nuits, et une fois visible, il change ses phrases, et il nous raconte tant bien que mal qu'il est arrivé une chose atroce, une chose de la mort, une chose qu'il ne peut pas expliquer aux vivants. Il parlait d'endroits où il peut aller, et d'endroits où il ne peut pas aller, et qu'il s'est rendu où il ne devait pas se rendre, et qu'il savait un secret qu'il ne devait pas savoir, et qu'on allait le découvrir et le punir, et qu'ensuite, on lui défendrait d'apparaître, qu'il ne pourrait plus jamais apparaître. (*Voix solennelle.*) « Je mourrai ma dernière mort », qu'il disait, « et ce sera fini, fini. Vous voyez, messieurs, il n'y a plus une minute à perdre. Courez! Prévenez la reine! Cherchez Tirésias! Messieurs! Messieurs! ayez pitié!... »

Et il suppliait, et le jour se levait. Et il restait
là.

LE JEUNE SOLDAT

Brusquement, on a cru qu'il allait devenir
fou.

LE SOLDAT

A travers des phrases sans suite, on comprend
qu'il a quitté son poste, quoi... qu'il ne sait plus
disparaître, qu'il est perdu. On le voyait bien
faire les mêmes cérémonies pour devenir invisible que pour rester visible, et il n'y arrivait
pas. Alors, voilà qu'il nous demande de l'insulter, parce qu'il a dit comme ça que d'insulter
les revenants c'était le moyen de les faire partir.
Le plus bête, c'est qu'on n'osait pas. Plus il
répétait : « Allez! Allez! jeunes gens, insultez-
moi! Criez, ne vous gênez pas... Allez donc! »
Plus on prenait l'air gourde.

LE JEUNE SOLDAT

Moins on trouvait quoi dire!...

LE SOLDAT

Ça, par exemple! Et pourtant, c'est pas faute
de gueuler après les chefs.

LE CHEF

Trop aimables, messieurs! Trop aimables.
Merci pour les chefs...

LE SOLDAT

Oh! chef! Ce n'est pas ce que j'ai voulu dire...
J'ai voulu dire... J'ai voulu parler des princes,
des têtes couronnées, des ministres, du gouver-
nement quoi... du pouvoir! On avait même
souvent causé de choses injustes... Mais le roi
était un si brave fantôme, le pauvre roi Laïus,
que les gros mots ne nous sortaient pas de la
gorge. Et il nous excitait, lui, et nous, on bafouil-
lait : Va donc, eh! Va donc, espèce de vieille
vache! Enfin, on lui jetait des fleurs.

LE JEUNE SOLDAT

Parce qu'il faut vous expliquer, chef : Vieille
vache est un petit nom d'amitié entre soldats.

LE CHEF

Il vaut mieux être prévenu.

LE SOLDAT

Va donc! Va donc, eh!... Tête de... Espèce de...
Pauvre fantôme Il restait suspendu entre la vie
et la mort, et il crevait de peur à cause des coqs
et du soleil. Quand tout à coup, on a vu le mur
redevenir le mur, la tache rouge s'éteindre. On
était crevés de fatigue.

LE JEUNE SOLDAT

C'est après cette nuit-là que j'ai décidé de
parler à son oncle, puisqu'il refusait de parler
lui-même.

LE CHEF

Il ne m'a pas l'air très exact, votre fantôme.

LE SOLDAT

Oh! chef, vous savez, il ne se montrera peut-être plus.

LE CHEF

Je le gêne.

LE SOLDAT

Non, chef. Mais après l'histoire d'hier...

LE CHEF

Il est très poli votre fantôme d'après tout ce que vous me racontez. Il apparaîtra, je suis tranquille. D'abord la politesse des rois, c'est l'exactitude, et la politesse des fantômes consiste à prendre forme humaine, d'après votre ingénieuse théorie.

LE SOLDAT

C'est possible, chef, mais c'est aussi possible que chez les fantômes il n'y ait plus de rois, et qu'on puisse confondre un siècle avec une minute. Alors si le fantôme apparaît dans mille ans au lieu d'apparaître ce soir.

LE CHEF

Vous m'avez l'air d'une forte tête, mon garçon; et la patience a des bornes. Donc, je vous dis que ce fantôme apparaîtra. Je vous dis que ma présence le dérange, et je vous dis que personne d'étranger au service ne doit passer sur le chemin de ronde.

LE SOLDAT

Oui, chef.

LE CHEF, il éclate.

Donc, fantôme ou pas fantôme, je vous ordonne d'empêcher de passer le premier individu qui se présente ici, sans avoir le mot de passe, c'est compris?

LE SOLDAT

Oui, chef!

LE CHEF

Et n'oubliez pas votre ronde. Rompez!

Les deux soldats s'immobilisent au port d'armes.

LE CHEF, fausse sortie.

N'essayez pas de faire le malin! Je vous ai à l'œil!

Il disparaît. Long silence.

LE SOLDAT

Autant!

LE JEUNE SOLDAT

Il a cru qu'on se payait sa gueule.

LE SOLDAT

Non, ma vieille! Il a cru qu'on se payait la nôtre.

LE JEUNE SOLDAT

La nôtre?

LE SOLDAT

Oui, ma vieille. Je sais beaucoup de choses
par mon oncle, moi. La reine, elle est gentille,
mais au fond, on ne l'aime pas; on la trouve un
peu... (*Il se cogne la tête.*) On dit qu'elle est
excentrique et qu'elle a un accent étranger, et
qu'elle est sous l'influence de Tirésias. Ce Tirésias conseille à la reine tout ce qui peut lui
causer du tort. Faites ci... faites ça... Elle lui
raconte ses rêves, elle lui demande s'il faut se
lever du pied droit ou du pied gauche; et il la
mène par le bout du nez et il lèche les bottes
du frère, et il complote avec contre la sœur.
Tout ça, c'est du sale monde. Je parierais que le
chef a cru que le fantôme était de la même eau
que le Sphinx. Un truc des prêtres pour attirer
Jocaste et lui faire croire ce qu'on veut lui faire
croire.

LE JEUNE SOLDAT

Non?

LE SOLDAT

Ça t'épate. Eh bien, c'est comme ça... (*Voix
très basse.*) Et moi, j'y crois au fantôme, moi qui
te parle, mais c'est justement parce que j'y crois
et qu'ils n'y croient pas, *eux,* que je te conseille
de te tenir tranquille. Tu as déjà réussi du beau

travail. Pige-moi ce rapport : « A fait preuve
d'une grande intelligence très au-dessus de son
grade »...

LE JEUNE SOLDAT

N'empêche que si notre roi...

LE SOLDAT

Notre roi!... Notre roi!... Minute!... Un roi
mort n'est pas un roi en vie. La preuve : Si le
roi Laïus était vivant, hein! entre nous, il se
débrouillerait tout seul et il ne viendrait pas te
chercher pour faire ses commissions en ville.

Ils s'éloignent à gauche, par le chemin de ronde.

LA VOIX DE JOCASTE, en bas des escaliers.
*Elle a un accent très fort : cet accent international
des royalties.*

Encore un escalier! Je déteste les escaliers!
Pourquoi tous ces escaliers? On n'y voit rien!
Où sommes-nous?

LA VOIX DE TIRÉSIAS

Mais, madame, vous savez ce que je pense de
cette escapade, et que ce n'est pas moi...

LA VOIX DE JOCASTE

Taisez-vous, Zizi. Vous n'ouvrez la bouche que
pour dire des sottises. Voilà bien le moment de
faire la morale.

LA VOIX DE TIRÉSIAS

Il fallait prendre un autre guide. Je suis presque aveugle.

LA VOIX DE JOCASTE

A quoi sert d'être devin, je demande! Vous ne savez même pas où se trouvent les escaliers. Je vais me casser une jambe! Ce sera votre faute, Zizi, votre faute, comme toujours.

TIRÉSIAS

Mes yeux de chair s'éteignent au bénéfice d'un œil intérieur, d'un œil qui rend d'autres services que de compter les marches des escaliers!

JOCASTE

Le voilà vexé avec son œil! Là! là! On vous aime, Zizi; mais les escaliers me rendent folle. Il fallait venir, Zizi, il le fallait!

TIRÉSIAS

Madame...

JOCASTE

Ne soyez pas têtu. Je ne me doutais pas qu'il y avait ces maudites marches. Je vais monter à reculons. Vous me retiendrez. N'ayez pas peur. C'est moi qui vous dirige. Mais si je regardais les marches, je tomberais. Prenez-moi les mains. En route!

Ils apparaissent.

Là... là... là... quatre, cinq, six, sept...

... Jocaste arrive sur la plate-forme et se dirige vers la gauche. Tirésias marche sur le bout de son écharpe. Elle pousse un cri.

TIRÉSIAS

Qu'avez-vous?

JOCASTE

C'est votre pied, Zizi! Vous marchez sur mon écharpe.

TIRÉSIAS

Pardonnez-moi...

JOCASTE

Encore, il se vexe! Mais ce n'est pas contre toi que j'en ai... C'est contre cette écharpe! Je suis entourée d'objets qui me détestent! Tout le jour cette écharpe m'étrangle. Une fois, elle s'accroche aux branches, une autre fois, c'est le moyeu d'un char où elle s'enroule, une autre fois tu marches dessus. C'est un fait exprès. Et je la crains, je n'ose pas m'en séparer. C'est affreux! C'est affreux! Elle me tuera.

TIRÉSIAS

Voyez dans quel état sont vos nerfs.

JOCASTE

Et à quoi sert ton troisième œil, je demande?

As-tu trouvé le Sphinx? As-tu trouvé les assassins de Laïus? As-tu calmé le peuple? On met des gardes à ma porte et on me laisse avec des objets qui me détestent, qui veulent ma mort!

TIRÉSIAS

Sur un simple racontar...

JOCASTE

Je sens les choses. Je sens les choses mieux que vous tous! (*Elle montre son ventre.*) Je les sens là! A-t-on fait tout ce qu'on a pu pour découvrir les assassins de Laïus?

TIRÉSIAS

Madame sait bien que le Sphinx rendait les recherches impossibles.

JOCASTE

Eh bien, moi, je me moque de vos entrailles de poulets... Je sens, là... que Laïus souffre et qu'il veut se plaindre. J'ai décidé de tirer cette histoire au clair, et d'entendre moi-même ce jeune garde; et je l'en-ten-drai. Je suis votre reine, Tirésias, ne l'oubliez pas.

TIRÉSIAS

Ma petite brebis, il faut comprendre un pauvre aveugle qui t'adore, qui veille sur toi et qui voudrait que tu dormes dans ta chambre au lieu de courir après une ombre, une nuit d'orage, sur les remparts.

JOCASTE, mystérieuse.

Je ne dors pas.

TIRÉSIAS

Vous ne dormez pas?

JOCASTE

Non, Zizi, je ne dors pas. Le Sphinx, le meurtre de Laïus, m'ont mis les nerfs à bout. Tu avais raison de me le dire. Je ne dors plus et c'est mieux, car, si je m'endors une minute, je fais un rêve, un seul et je reste malade toute la journée.

TIRÉSIAS

N'est-ce pas mon métier de déchiffrer les rêves?...

JOCASTE

L'endroit du rêve ressemble un peu à cette plate-forme; alors je te le raconte. Je suis debout, la nuit; je berce une espèce de nourrisson. Tout à coup, ce nourrisson devient une pâte gluante qui me coule entre les doigts. Je pousse un hurlement et j'essaie de lancer cette pâte; mais... oh! Zizi... Si tu savais, c'est immonde... Cette chose, cette pâte reste reliée à moi et quand je me crois libre, la pâte revient à toute vitesse et gifle ma figure. Et cette pâte est vivante. Elle a une espèce de bouche qui se colle sur ma bouche. Et elle se glisse partout : elle cherche mon ventre, mes cuisses. Quelle horreur!

TIRÉSIAS

Calmez-vous.

JOCASTE

Je ne veux plus dormir, Zizi... Je ne veux plus dormir. Ecoute la musique. Où est-ce? Ils ne dorment pas non plus. Ils ont de la chance avec cette musique. Ils ont peur, Zizi... Ils ont raison. Ils doivent rêver des choses épouvantables et ils ne veulent pas dormir. Et au fait, pourquoi cette musique? Pourquoi permet-on cette musique? Est-ce que j'ai de la musique pour m'empêcher de dormir? Je ne savais pas que ces boîtes restaient ouvertes toute la nuit. Pourquoi ce scandale, Zizi? Il faut que Créon donne des ordres! Il faut empêcher cette musique! Il faut que ce scandale cesse immédiatement.

TIRÉSIAS

Madame, je vous conjure de vous calmer et de vous en retourner. Ce manque de sommeil vous met hors de vous. Nous avons autorisé les musiques afin que le peuple ne se démoralise pas, pour soutenir le moral. Il y aurait des crimes... et pire, si on ne dansait pas dans le quartier populaire.

JOCASTE

Est-ce que je danse, moi?

TIRÉSIAS

Ce n'est pas pareil. Vous portez le deuil de Laïus.

JOCASTE

Et tous sont en deuil, Zizi. Tous! Tous! Tous! et ils dansent, et je ne danse pas. C'est trop injuste... Je veux...

TIRÉSIAS

On vient, madame.

JOCASTE

Ecoute, Zizi, je tremble, je suis sortie avec tous mes bijoux.

TIRÉSIAS

N'ayez crainte. Sur le chemin de ronde, on ne rencontre pas de rôdeurs. C'est certainement une patrouille.

JOCASTE

Peut-être le soldat que je cherche?

TIRÉSIAS

Ne bougez pas. Nous allons le savoir.

Les soldats entrent. Ils aperçoivent Jocaste et Tirésias.

LE JEUNE SOLDAT

Bouge pas, on dirait du monde.

LE SOLDAT

D'où sortent-ils? (*Haut.*) Qui va là?

TIRÉSIAS, à la reine.

Nous allons avoir des ennuis... (*Haut.*) Ecoutez, mes braves...

LE JEUNE SOLDAT

Avez-vous le mot?

TIRÉSIAS

Vous voyez, madame, qu'il fallait prendre le mot. Vous nous entraînez dans une histoire impossible.

JOCASTE

Le mot? Pourquoi le mot? Quel mot? Vous êtes ridicule, Zizi. Je vais lui parler, moi.

TIRÉSIAS

Madame, je vous conjure. Il y a une consigne. Ces gardes peuvent ne pas vous connaître et ne pas me croire. C'est très dangereux.

JOCASTE

Que vous êtes romanesque! Vous voyez des drames partout.

LE SOLDAT

Ils se concertent. Ils veulent peut-être nous sauter dessus.

TIRÉSIAS, aux soldats.

Vous n'avez rien à craindre. Je suis vieux et presque aveugle. Laissez-moi vous expliquer ma présence sur ces remparts, et la présence de la personne qui m'accompagne.

LE SOLDAT

Pas de discours. Nous voulons le mot.

TIRÉSIAS

Une minute. Une minute. Ecoutez, mes braves. Avez-vous déjà vu des pièces d'or?

LE SOLDAT

Tentative de corruption.

> Il s'éloigne vers la gauche pour garder le chemin de ronde et laisse le jeune soldat en face de Tirésias.

TIRÉSIAS

Vous vous trompez. Je voulais dire : avez-vous déjà vu le portrait de la reine sur une pièce d'or?

LE JEUNE SOLDAT

Oui!

> TIRÉSIAS, s'effaçant et montrant la reine, qui compte les étoiles, de profil.

Et... vous ne reconnaissez pas...

LE JEUNE SOLDAT

Je ne vois pas le rapport que vous cherchez à établir entre la reine qui est toute jeune, et cette matrone.

LA REINE

Que dit-il?

TIRÉSIAS

Il dit qu'il trouve madame bien jeune pour être la reine...

LA REINE

Il est amusant!

TIRÉSIAS, au soldat.

Cherchez-moi votre chef.

LE SOLDAT

Inutile. J'ai des ordres. Filez, et vite.

TIRÉSIAS

Vous aurez de mes nouvelles!

LA REINE

Zizi, quoi encore? Que dit-il?

Entre le chef.

LE CHEF

Qu'est-ce que c'est?

LE JEUNE SOLDAT

Chef! Voilà deux individus qui circulent sans le mot de passe.

LE CHEF, s'avançant vers Tirésias.

Qui êtes-vous? (*Brusquement il le reconnaît.*) Monseigneur! (*Il s'incline.*) Que d'excuses.

TIRÉSIAS

Ouf! Merci, capitaine. J'ai cru que ce jeune brave allait nous passer par les armes.

LE CHEF

Monseigneur! Me pardonnerez-vous? (*Au jeune soldat.*) Imbécile! Laisse-nous.

Le jeune soldat rejoint son camarade à l'extrême gauche.

LE SOLDAT, au jeune soldat.

C'est la gaffe!

TIRÉSIAS

Ne le grondez pas. Il observait sa consigne...

LE CHEF

Une pareille visite... En ce lieu! Que puis-je faire pour Votre Seigneurie?

TIRÉSIAS, découvrant Jocaste.

Sa Majesté!...

Haut-le-corps du chef.

LE CHEF, il s'incline à distance respectueuse.

Madame!...

JOCASTE

Pas de protocole! Je voudrais savoir quel est le garde qui a vu le fantôme?

LE CHEF

C'est le jeune maladroit qui se permettait de rudoyer le seigneur Tirésias, et si madame...

JOCASTE

Voilà, Zizi. C'est de la chance! J'ai eu raison de venir... (*Au chef.*) Dites-lui qu'il approche.

LE CHEF, à Tirésias.

Monseigneur. Je ne sais pas si la reine se rend bien compte que ce jeune soldat s'expliquerait mieux par l'entremise de son chef; et que s'il parle seul, Sa Majesté risque...

JOCASTE

Quoi encore, Zizi?

TIRÉSIAS

Le chef me faisait remarquer, madame, qu'il a l'habitude de ses hommes et qu'il pourrait en quelque sorte servir d'interprète.

JOCASTE

Otez le chef! Est-ce que le garçon a une langue ou non? Qu'il approche.

TIRÉSIAS, au chef, bas.

N'insistez pas, la reine est très nerveuse...

LE CHEF

Bon... (*Il va vers les soldats; au jeune soldat.*) La reine veut te parler. Et surveille ta langue. Je te revaudrai ça, mon gaillard.

JOCASTE

Approchez!

Le chef pousse le jeune soldat.

LE CHEF

Allons, va! Va donc, nigaud, avance, on ne te mangera pas. Excusez-le, Majesté. Nos lascars n'ont guère l'habitude des cours.

JOCASTE, à Tirésias.

Priez cet homme de nous laisser seuls avec le soldat.

TIRÉSIAS

Mais, madame...

JOCASTE

Il n'y a pas de mais, madame... Si ce capitaine reste une minute de plus, je lui donne un coup de pied.

TIRÉSIAS

Ecoutez, chef.

Il le tire un peu à l'écart.

La reine veut rester seule avec le garde qui a vu la chose. Elle a des caprices. Elle vous noterait mal, et je n'y pourrais rien.

LE CHEF

C'est bon. Je vous laisse... Moi, si je restais c'est que... enfin... Je n'ai pas de conseils à vous donner, monseigneur... Mais de vous à moi, méfiez-vous de cette histoire de fantôme. (*Il s'incline.*) Monseigneur... (*Long salut vers la reine.*

Il passe près du soldat.) Hop! La reine veut rester seule avec ton collègue.

JOCASTE

Qui est l'autre? A-t-il vu le fantôme?

LE JEUNE SOLDAT

Oui, Majesté, nous étions de garde tous les deux.

JOCASTE

Alors, qu'il reste. Qu'il reste là! Je l'appellerai si j'ai besoin de lui. Bonsoir, capitaine, vous êtes libre.

LE CHEF, au soldat.

Nous en reparlerons!

Il sort.

TIRÉSIAS, à la reine.

Vous avez blessé ce capitaine à mort.

JOCASTE

C'est bien son tour. D'habitude, les hommes sont blessés à mort et jamais les chefs. (*Au jeune soldat.*) Quel âge as-tu?

LE JEUNE SOLDAT

Dix-neuf ans.

JOCASTE

Juste son âge! Il aurait son âge... Il est beau! Avance un peu. Regarde-moi, Zizi, quels muscles! J'adore les genoux. C'est aux genoux qu'on voit la race. Il lui ressemblerait... Il est beau, Zizi, tâte ces biceps, on dirait du fer...

TIRÉSIAS

Hélas! Madame, vous le savez... je n'ai aucune compétence. J'y vois fort mal...

JOCASTE

Alors tâte... Tâte-le. Il a une cuisse de cheval! Il se recule! N'aie pas peur... le papa est aveugle. Dieu sait ce qu'il imagine, le pauvre; il est tout rouge! Il est adorable! Il a dix-neuf ans!

LE JEUNE SOLDAT

Oui, Majesté.

JOCASTE, l'imitant.

Oui, Majesté! N'est-il pas exquis? Ah! misère! Il ne sait peut-être même pas qu'il est beau. (*Comme on parle à un enfant.*) Alors... tu as vu le fantôme?

LE JEUNE SOLDAT

Oui, Majesté!

JOCASTE

Le fantôme du roi Laïus?

LE JEUNE SOLDAT

Oui, Majesté. Le roi nous a dit qu'il était le roi.

JOCASTE

Zizi.. avec vos poulets et vos étoiles, que savez-vous? Ecoute le petit... Et que disait le roi?

TIRÉSIAS, entraînant la reine.

Madame! Méfiez-vous, cette jeunesse a la tête chaude, elle est crédule... arriviste... Méfiez-vous. Etes-vous sûre que ce garçon ait vu ce fantôme, et, en admettant qu'il l'ait vu, était-ce bien le fantôme de votre époux?

JOCASTE

Dieux! Que vous êtes insupportable. Insupportable et trouble-fête. Toujours, vous arrêtez l'élan, vous empêchez les miracles avec votre intelligence et votre incrédulité. Laissez-moi interroger ce garçon toute seule, je vous prie. Vous prêcherez après. (*Au jeune soldat.*) Ecoute...

LE JEUNE SOLDAT

Majesté!...

JOCASTE, à Tirésias.

Je vais bien savoir tout de suite, s'il a vu Laïus. (*Au jeune soldat.*) Comment parlait-il?

LE JEUNE SOLDAT

Il parlait vite et beaucoup, Majesté, beaucoup, et il s'embrouillait, et il n'arrivait pas à dire ce qu'il voulait dire.

JOCASTE

C'est lui! Pauvre cher! Mais pourquoi sur ces remparts? Cela empeste...

LE JEUNE SOLDAT

C'est justement, Majesté... Le fantôme disait que c'est à cause des marécages et des vapeurs qu'il pouvait apparaître.

JOCASTE

Que c'est intéressant! Tirésias, jamais vous n'apprendrez cela dans vos volailles. Et que disait-il?

TIRÉSIAS

Madame, madame, au moins faudrait-il interroger avec ordre. Vous allez faire perdre la tête à ce gamin.

JOCASTE

C'est juste, Zizi, très juste.

Au jeune soldat.

Comment était-il? Comment le voyiez-vous?

LE JEUNE SOLDAT

Dans le mur, Majesté. C'est comme qui dirait une espèce de statue transparente. On voit surtout la barbe et le trou noir de la bouche qui parle, et une tache rouge, sur la tempe, une tache rouge vif.

JOCASTE

C'est du sang!

LE JEUNE SOLDAT

Tiens! On n'y avait pas pensé.

JOCASTE

C'est une blessure! C'est épouvantable! (*Laïus apparaît.*) Et que disait-il? Avez-vous compris quelque chose?

LE JEUNE SOLDAT

C'est difficile, Majesté. Mon camarade a remarqué qu'il se donnait beaucoup de mal pour apparaître, et que chaque fois qu'il se donnait du mal pour s'exprimer clairement, il disparaissait; alors il ne savait plus comment s'y prendre.

JOCASTE

Le pauvre!

LE FANTÔME

Jocaste! Jocaste! Ma femme Jocaste!

Ils ne le voient ni ne l'entendent pendant toute la scène.

TIRÉSIAS, s'adressant au soldat.

Et vous n'avez rien pu saisir de clair?

LE FANTÔME

Jocaste!

LE SOLDAT

C'est-à-dire, si, monseigneur. On comprenait qu'il voulait vous prévenir d'un danger. vous mettre en garde, la reine et vous, mais c'est tout. La dernière fois, il a expliqué qu'il avait su des secrets qu'il ne devait pas savoir, et que si on le découvrait, il ne pourrait plus apparaître.

LE FANTÔME

Jocaste! Tirésias! Ne me voyez-vous pas? Ne m'entendez-vous pas?

JOCASTE

Et il ne disait rien d'autre. Il ne précisait rien?

LE SOLDAT

Dame! Majesté, il ne voulait peut-être pas préciser en notre présence. Il vous réclamait. C'est pourquoi mon camarade a essayé de vous prévenir.

JOCASTE

Les braves garçons! Et je suis venue. Je le savais bien. Je le sentais là! Tu vois, Zizi, avec tes doutes. Et dites, petit soldat, où le spectre apparaissait-il? Je veux toucher la place exacte.

LE FANTÔME

Regarde-moi! Ecoute-moi, Jocaste! Gardes, vous m'avez toujours vu. Pourquoi ne pas me voir? C'est un supplice. Jocaste! Jocaste!

Pendant ces répliques, le soldat s'est rendu à l'endroit où le fantôme se manifeste. Il le touche de la main.

LE SOLDAT

C'est là. (*Il frappe le mur.*) Là, dans le mur.

LE JEUNE SOLDAT

Ou devant le mur; on ne peut pas se rendre bien compte.

JOCASTE

Mais pourquoi n'apparaît-il pas cette nuit? Croyez-vous qu'il puisse encore apparaître?

LE FANTÔME

Jocaste! Jocaste! Jocaste!

LE SOLDAT

Hélas! madame, je ne crois pas, après la scène d'hier. J'ai peur qu'il y ait eu du grabuge, et que Votre Majesté arrive trop tard.

JOCASTE

Quel malheur! Toujours trop tard. Zizi, je suis toujours informée la dernière dans le royaume. Que de temps perdu avec vos poulets et vos oracles! Il fallait courir. Il fallait deviner. Nous ne saurons rien! rien! rien! Et il y aura des cataclysmes, des cataclysmes épouvantables. Et ce sera votre faute, Zizi, votre faute, comme toujours.

TIRÉSIAS

Madame, la reine parle devant ces hommes...

JOCASTE

Oui, je parle devant ces hommes! Je vais me gêner, peut-être? Et le roi Laïus, le roi Laïus mort, a parlé devant ces hommes. Il ne vous a pas parlé, à vous, Zizi, ni à Créon. Il n'a pas été se montrer au temple. Il s'est montré sur le chemin de ronde, à ces hommes, à ce garçon de dix-neuf ans qui est beau et qui ressemble...

TIRÉSIAS

Je vous conjure...

JOCASTE

C'est vrai, je suis nerveuse, il faut comprendre. Ces dangers, ce spectre, cette musique, cette odeur de pourriture... Et il y a de l'orage. Mon épaule me fait mal. J'étouffe, Zizi, j'étouffe.

LE FANTÔME

Jocaste! Jocaste!

JOCASTE

Il me semble entendre mon nom. Vous n'avez rien entendu?

TIRÉSIAS

Ma petite biche. Vous n'en pouvez plus. Le jour se lève. Vous rêvez debout. Savez-vous seulement si cette histoire de fantôme ne résulte pas

de la fatigue de ces jeunes gens qui veillent, qui
se forcent à ne pas dormir, qui vivent dans cette
atmosphère marécageuse, déprimante?

LE FANTÔME

Jocaste! Par pitié, écoute-moi! Regarde-moi!
Messieurs, vous êtes bons. Retenez la reine.
Tirésias! Tirésias!

TIRÉSIAS, au jeune soldat.

Eloignez-vous une seconde, je voudrais parler
à la reine.

Le jeune soldat rejoint son camarade.

LE SOLDAT

Eh bien, mon fils! Alors ça y est! C'est le
béguin. La reine te pelote.

LE JEUNE SOLDAT

Dis donc!...

LE SOLDAT

Ta fortune est faite. N'oublie pas les cama-
rades.

TIRÉSIAS

... Ecoutez! Des coqs. Le fantôme ne viendra
plus. Rentrons.

JOCASTE

Tu as vu comme il est beau.

TIRÉSIAS

Ne réveille pas ces tristesses, ma colombe. Si tu avais un fils...

JOCASTE

Si j'avais un fils, il serait beau, il serait brave, il devinerait l'énigme, il tuerait le Sphinx. Il reviendrait vainqueur.

TIRÉSIAS

Et vous n'auriez pas de mari.

JOCASTE

Les petits garçons disent tous : « Je veux devenir un homme pour me marier avec maman. » Ce n'est pas si bête, Tirésias. Est-il plus doux ménage, ménage plus doux et plus cruel, ménage plus fier de soi, que ce couple d'un fils et d'une mère jeune? Ecoute, Zizi, tout à l'heure, lorsque j'ai touché le corps de ce garde, les dieux savent ce qu'il a dû croire, le pauvret, et moi, j'ai failli m'évanouir. Il aurait dix-neuf ans, Tirésias, dix-neuf ans! L'âge de ce soldat. Savons-nous si Laïus ne lui est pas apparu parce qu'il lui ressemble.

Coqs.

LE FANTÔME

Jocaste! Jocaste! Jocaste! Tirésias! Jocaste!

TIRÉSIAS, aux soldats.

Mes amis, pensez-vous qu'il soit utile d'attendre encore?

LE FANTÔME

Par pitié!

LE SOLDAT

Franchement non, monseigneur. Les coqs chantent. Il n'apparaîtra plus.

LE FANTÔME

Messieurs! De grâce! Suis-je invisible? Ne pouvez-vous m'entendre?

JOCASTE

Allons! je serai obéissante. Mais je reste heureuse d'avoir interrogé le garçon. Il faut que tu saches comment il s'appelle, où il habite. (*Elle se dirige vers l'escalier.*) J'oubliais cet escalier! Zizi... Cette musique me rend malade. Ecoute, nous allons revenir par la haute ville, par les petites rues, et nous visiterons les boîtes.

TIRÉSIAS

Madame, vous n'y pensez pas!

JOCASTE

Voilà qu'il recommence! Il me rendra folle, folle! Folle et idiote! J'ai des voiles, Zizi, comment voulez-vous qu'on me reconnaisse?

TIRÉSIAS

Ma colombe, vous l'avez dit vous-même, vous êtes sortie du palais avec tous vos bijoux. Votre broche seule a des perles grosses comme un œuf.

JOCASTE

Je suis une victime! Les autres peuvent rire, danser, s'amuser. Crois-tu que je vais laisser à la maison cette broche qui crève l'œil de tout le monde. Appelez le garde. Dites-lui qu'il m'aide à descendre les marches; vous, vous nous suivrez.

TIRÉSIAS

Mais, madame, puisque le contact de ce jeune homme vous affecte...

JOCASTE

Il est jeune, il est fort; il m'aidera; et je ne me romprai pas le cou. Obéissez au moins une fois à votre reine.

TIRÉSIAS

Hep!... Non, lui... Oui, toi... Aide la reine à descendre les marches...

LE SOLDAT

Eh bien, ma vieille!

LE JEUNE SOLDAT, il approche.

Oui, monseigneur.

LE FANTÔME

Jocaste! Jocaste! Jocaste!

JOCASTE

Il est timide! Et les escaliers me détestent. Les

escaliers, les agrafes, les écharpes. Oui! Oui! ils me détestent! Ils veulent ma mort.

Un cri.

Ho!

LE JEUNE SOLDAT

La reine s'est fait mal?

TIRÉSIAS

Mais non, stupide! Votre pied! Votre pied!

LE JEUNE SOLDAT

Quel pied?

TIRÉSIAS

Votre pied sur le bout de l'écharpe. Vous avez failli étrangler la reine.

LE JEUNE SOLDAT

Dieux!

JOCASTE

Zizi, vous êtes le comble du ridicule. Pauvre mignon. Voilà que tu le traites d'assassin parce qu'il a marché comme toi, sur cette écharpe. Ne vous tourmentez pas, mon fils, monseigneur est absurde. Il ne manque pas une occasion de faire de la peine.

TIRÉSIAS

Mais, madame...

JOCASTE

C'est vous le maladroit. Venez. Merci, mon garçon. Vous écrirez au temple votre nom et votre adresse. Une, deux, trois, quatre... C'est superbe! Tu vois, Zizi, comme je descends bien. Onze, douze... Zizi, vous suivez, il reste encore deux marches. (*Au soldat.*) Merci. Je n'ai plus besoin de vous. Aidez le grand-père.

> Jocaste disparaît par la droite avec Tirésias. On entend les coqs.

LA VOIX DE JOCASTE

Par votre faute, je ne saurai jamais ce que voulait mon pauvre Laïus.

LE FANTÔME

Jocaste!

LA VOIX DE TIRÉSIAS

Tout cela est bien vague.

LA VOIX DE JOCASTE

Quoi? bien vague. Qu'est-ce que c'est vague? C'est vous qui êtes vague avec votre troisième œil. Voilà un garçon qui sait ce qu'il a vu, et il a vu le roi; avez-vous vu le roi?

LA VOIX DE TIRÉSIAS

Mais...

LA VOIX DE JOCASTE

L'avez-vous vu?... Non... alors... C'est extraordinaire... On dirait...

Les voix s'éteignent.

LE FANTÔME

Jocaste! Tirésias! Par pitié!...

Les deux soldats se réunissent et voient le fantôme.

LES DEUX SOLDATS

Oh! le spectre!

LE FANTÔME

Messieurs, enfin! Je suis sauvé! J'appelais, je
suppliais...

LE SOLDAT

Vous étiez là?

LE FANTÔME

Pendant tout votre entretien avec la reine et
avec Tirésias. Pourquoi donc étais-je invisible?

LE JEUNE SOLDAT

Je cours les chercher

LE SOLDAT

Halte!

LE FANTÔME

Quoi? Vous l'empêchez...

LE JEUNE SOLDAT

Laisse-moi...

LE SOLDAT

Lorsque le menuisier arrive, la chaise ne boite

plus, lorsque tu entres chez le savetier, ta san-
dale ne te gêne plus, lorsque tu arrives chez le
médecin, tu ne sens plus la douleur. Cherche-les!
Il suffira qu'ils arrivent pour que le fantôme
disparaisse.

LE FANTÔME

Hélas! Ces simples savent-ils donc ce que les
prêtres ne devinent pas?

LE JEUNE SOLDAT

J'irai.

LE FANTÔME

Trop tard... Restez. Il est trop tard. Je suis
découvert. Ils approchent; ils vont me prendre.
Ah! les voilà! Au secours! Au secours! Vite!
Rapportez à la reine qu'un jeune homme approche de Thèbes, et qu'il ne faut sous aucun
prétexte... Non! Non! Grâce! Grâce! Ils me
tiennent! Au secours! C'est fini! Je... Je...
Grâce... Je... Je... Je...

> Long silence. Les deux soldats, de dos, contemplent
> sans fin, la place du mur où le fantôme a
> disparu.

LE SOLDAT

Pas drôle!

LE JEUNE SOLDAT

Non!

LE SOLDAT

Ces choses-là nous dépassent, ma vieille.

LE JEUNE SOLDAT

Mais ce qui reste clair, c'est que malgré la mort, ce type a voulu coûte que coûte prévenir sa femme d'un danger qui la menace. Mon devoir est de rejoindre la reine ou le grand prêtre, et de leur répéter ce que nous venons d'entendre, mot pour mot.

LE SOLDAT

Tu veux t'envoyer la reine?

Le jeune soldat hausse les épaules.

Alors... il n'avait qu'à leur apparaître et à leur parler, ils étaient là. Nous l'avons bien vu, nous, et ils ne le voyaient pas, eux, et même ils nous empêchaient de le voir, ce qui est le comble. Ceci prouve que les rois morts deviennent de simples particuliers. Pauvre Laïus! Il sait maintenant comme c'est facile d'arriver jusqu'aux grands de la terre.

LE JEUNE SOLDAT

Mais nous?

LE SOLDAT

Oh! Nous! Ce n'est pas sorcier de prendre contact avec des hommes, ma petite vache... Mais vois-tu... des chefs, des reines, des pontifes... ils partent toujours avant que ça se passe, ou bien ils arrivent toujours après que ça a eu lieu.

LE JEUNE SOLDAT

Ça quoi?

LE SOLDAT

Est-ce que je sais?... Je me comprends, c'est le principal.

LE JEUNE SOLDAT

Et tu n'irais pas prévenir la reine?

LE SOLDAT

Un conseil : Laisse les princes s'arranger avec les princes, les fantômes avec les fantômes, et les soldats avec les soldats.

Sonnerie de trompettes.

RIDEAU

ACTE II

LA RENCONTRE
D'ŒDIPE ET DU SPHINX

LA VOIX

Spectateurs, nous allons imaginer un recul
dans le temps et revivre, ailleurs, les minutes
que nous venons de vivre ensemble. En effet,
le fantôme de Laïus essaie de prévenir Jocaste,
sur une plate-forme des remparts de Thèbes,
pendant que le Sphinx et Œdipe se rencontrent
sur une éminence qui domine la ville. Mêmes
sonneries de trompettes, même lune, mêmes
étoiles, mêmes coqs.

DÉCOR

Un lieu désert, sur une éminence qui domine Thèbes, au clair de lune.

La route de Thèbes (de gauche à droite), passe au premier plan. On devine qu'elle contourne une haute pierre penchée, dont la base s'amorce en bas de l'estrade et forme le portant de gauche. Derrière les décombres d'un petit temple, un mur en ruine. Au milieu du mur, un socle intact devait marquer l'entrée du temple et porte les vestiges d'une chimère : une aile, une patte, une croupe.

Colonnes détruites. Pour les ombres finales d'Anubis et de Némésis, un disque enregistré par les acteurs déclame leur dialogue, laissant l'actrice mimer la jeune fille morte à tête de chacal.

Au lever du rideau, une jeune fille en robe blanche
  est assise sur les décombres. La tête d'un chacal dont le corps reste invisible derrière elle,
  repose sur ses genoux.
Trompettes lointaines.

LE SPHINX

Ecoute.

LE CHACAL

J'écoute.

LE SPHINX

C'est la dernière sonnerie, nous sommes libres.

Anubis se lève, on voit que la tête de chacal lui
  appartenait.

LE CHACAL ANUBIS

C'est la première sonnerie. Il en reste encore
deux avant la fermeture des portes de Thèbes.

LE SPHINX

C'est la dernière, la dernière, j'en suis sûre!

ANUBIS

Vous en êtes sûre parce que vous désirez la fermeture des portes, mais, hélas! ma consigne m'oblige à vous contredire; nous ne sommes pas libres. C'est la première sonnerie. Attendons.

LE SPHINX

Je me trompe peut-être...

ANUBIS

Il n'y a pas l'ombre d'un doute; vous vous trompez.

LE SPHINX

Anubis!

ANUBIS

Sphinx?

LE SPHINX

J'en ai assez de tuer. J'en ai assez de donner la mort.

ANUBIS

Obéissons. Le mystère a ses mystères. Les dieux possèdent leurs dieux. Nous avons les nôtres. Ils ont les leurs. C'est ce qui s'appelle l'infini.

LE SPHINX

Tu vois, Anubis, la seconde sonnerie ne se fait pas entendre; tu te trompais, partons...

ANUBIS

Vous voudriez que cette nuit s'achève sans morts?

LE SPHINX

Eh bien, oui! Oui! Je tremble, malgré l'heure, qu'il ne passe encore quelqu'un.

ANUBIS

Vous devenez sensible.

LE SPHINX

Cela me regarde...

ANUBIS

Ne vous fâchez pas.

LE SPHINX

Pourquoi toujours agir sans but, sans terme, sans comprendre. Ainsi, par exemple, Anubis, pourquoi ta tête de chien? Pourquoi le dieu des morts sous l'apparence que lui supposent les hommes crédules? Pourquoi en Grèce un dieu d'Egypte? Pourquoi un dieu à tête de chien?

ANUBIS

J'admire ce qui vous a fait prendre une figure de femme lorsqu'il s'agissait de poser des questions.

LE SPHINX

Ce n'est pas répondre.

ANUBIS

Je répondrai *que* la logique nous oblige, pour apparaître aux hommes, à prendre l'aspect sous lequel ils nous représentent; sinon, ils ne verraient que du vide. Ensuite : *que* l'Egypte, la Grèce, la mort, le passé, l'avenir n'ont pas de sens chez nous; *que* vous savez trop bien à quelle besogne ma mâchoire de chacal est soumise; *que* nos maîtres prouvent leur sagesse en m'incarnant sous une forme inhumaine qui m'empêche de perdre la tête, fût-elle une tête de chien; car j'ai votre garde, et je devine que, s'ils ne vous avaient donné qu'un chien de garde, nous serions à l'heure actuelle à Thèbes, moi en laisse et vous assise au milieu d'une bande de jeunes gens.

LE SPHINX

Tu es stupide!

ANUBIS

Efforcez-vous donc de vous souvenir que ces victimes qui émeuvent la figure de jeune fille que vous avez prise, ne sont autre chose que zéros essuyés sur une ardoise, même si chacun de ces zéros était une bouche ouverte criant au secours.

LE SPHINX

C'est possible. Mais ici, nos calculs de dieux nous échappent... Ici, nous tuons. Ici, les morts meurent. Ici, je tue!

Le Sphinx a parlé, le regard à terre. Pendant sa phrase Anubis a dressé les oreilles, tourné la tête et détalé sans bruit, à travers les ruines où il disparaît. Lorsque le Sphinx lève les yeux, il le cherche et se trouve face à face avec un groupe qui entre par la gauche, premier plan, et que le nez d'Anubis avait flairé. Le groupe de compose d'une matrone de Thèbes, de son petit garçon et de sa petite fille. La matrone traîne sa fille. Le garçon marche devant elle.

LA MATRONE

Regarde où tu mets tes pieds! Avance! Ne regarde pas derrière toi! Laisse ta sœur! Avance... (*Elle aperçoit le Sphinx contre qui le garçon trébuche.*) Prends garde! Je t'avais dit de regarder où tu marches! Oh! pardon, madame... Il ne regarde jamais où il marche... Il ne vous a pas fait mal?

LE SPHINX

Mais pas du tout, madame.

LA MATRONE

Je ne m'attendais pas à rencontrer du monde sur ma route à des heures pareilles.

LE SPHINX

Je suis étrangère, arrivée à Thèbes depuis peu; je retourne chez une parente qui habite la campagne et je m'étais perdue.

LA MATRONE

Pauvre petite! Et où habite-t-elle, votre parente?

LE SPHINX

... Aux environs de la douzième borne.

LA MATRONE

Juste d'où j'arrive! J'ai déjeuné en famille, chez mon frère. Il m'a retenue à dîner. Après le dîner, on bavarde, on bavarde, et me voilà qui rentre, après le couvre-feu, avec des galopins qui dorment debout.

LE SPHINX

Bonne nuit, madame.

LA MATRONE

Bonne nuit. (*Fausse sortie.*) Et... dites... ne traînez pas en route. Je sais que ni vous ni moi n'avons grand-chose à craindre... mais je ne serai pas fière tant que je ne serai pas dans les murs.

LE SPHINX

Vous craignez les voleurs?

LA MATRONE

Les voleurs! Justes dieux, que pourraient-ils me prendre? Non, non, ma petite. D'où sortez-vous? On voit que vous n'êtes pas de la ville. Il s'agit bien des voleurs. Il s'agit du Sphinx!

LE SPHINX

Vous y croyez vraiment, vraiment, vous, madame, à cette histoire-là?

LA MATRONE

Cette histoire-là! Que vous êtes jeune. La jeunesse est incrédule. Si, si. Voilà comment il arrive des malheurs.

Sans parler du Sphinx, je vous cite un exemple de ma famille. Mon frère, de chez qui je rentre... (*Elle s'assied et baisse la voix.*) Il avait épousé une grande, belle femme blonde, une femme du Nord. Une nuit, il se réveille et qu'est-ce qu'il trouve? Sa femme couchée, sans tête et sans entrailles. C'était un vampire. Après la première émotion, mon frère ne fait ni une ni deux, il cherche un œuf et le pose sur l'oreiller, à la place de la tête de sa femme. C'est le moyen d'empêcher les vampires de rentrer dans leurs corps. Tout à coup, il entend des plaintes. C'étaient la tête et les entrailles affolées qui voletaient à travers la chambre et qui suppliaient mon frère d'ôter l'œuf. Et mon frère refuse, et la tête passe des plaintes à la colère, de la colère aux larmes et des larmes aux caresses. Bref, mon imbécile de frère ôte l'œuf et laisse rentrer sa femme. Maintenant, il sait que sa femme est un vampire, et mes fils se moquent de leur oncle. Ils prétendent qu'il invente ce vampire de toutes pièces pour cacher que sa femme sortait bel et bien avec son corps et qu'il

le laissait rentrer, et qu'il est un lâche, et qu'il
en a honte. Mais moi, je sais que ma belle-sœur
est un vampire, je le sais... Et mes fils risquent
d'épouser des monstres d'enfer parce qu'ils
s'obstinent à être in-cré-du-les.

Ainsi, le Sphinx, excusez si je vous choque,
il faut être vous et mes fils pour ne pas y croire.

LE SPHINX

Vos fils...?

LA MATRONE

Pas le morveux qui s'est jeté dans vos jambes.
Je parle d'un autre fils de dix-sept ans...

LE SPHINX

Vous avez plusieurs fils?

LA MATRONE

J'en avais quatre. Il m'en reste trois : sept ans,
seize ans et dix-sept ans. Et je vous assure que
depuis cette maudite bête, la maison est devenue
inhabitable.

LE SPHINX

Vos fils se disputent?

LA MATRONE

Mademoiselle, c'est-à-dire que c'est impossible de s'entendre. Celui de seize ans s'occupe
de politique. Le Sphinx, qu'il dit, c'est un loup-
garou pour tromper le pauvre monde. Il y a

peut-être eu quelque chose comme votre Sphinx
— c'est mon fils qui s'exprime — maintenant
votre Sphinx est mort; c'est une arme entre les
mains des prêtres et un prétexte aux micmacs
de la police. On égorge, on pille, on épouvante
le peuple, et on rejette tout sur le Sphinx. Le
Sphinx a bon dos. C'est à cause du Sphinx qu'on
crève de famine, que les prix montent, que les
bandes de pillards infestent les campagnes; c'est
à cause du Sphinx que rien ne marche, que personne ne gouverne, que les faillites se succèdent,
que les temples regorgent d'offrandes tandis que
les mères et les épouses perdent leur gagne-pain,
que les étrangers qui dépensent se sauvent de la
ville; et il faut le voir, mademoiselle, monter sur
la table, criant, gesticulant, piétinant; et il dé-
nonce les coupables, il prêche la révolte, il sti-
mule les anarchistes, il crie à tue-tête des noms
de quoi nous faire pendre tous. Et entre nous....
moi qui vous parle, tenez... Mademoiselle, je
sais qu'il existe le Sphinx... mais on en profite.
C'est certain qu'on en profite. Il faudrait un
homme de poigne, un dictateur!

LE SPHINX
Et... le frère de votre jeune dictateur?

LA MATRONE
Ça, c'est un autre genre. Il méprise son frère,
il me méprise, il méprise la ville, il méprise les
dieux, il méprise tout. On se demande où il va

chercher ce qu'il vous sort. Il déclare que le
Sphinx l'intéresserait s'il tuait pour tuer, mais
que notre Sphinx est de la clique des oracles,
et qu'il ne l'intéresse pas.

LE SPHINX

Et votre quatrième fils? Votre deuil date...

LA MATRONE

Je l'ai perdu voilà presque une année. Il
venait d'avoir dix-neuf ans.

LE SPHINX

Pauvre femme... Et, de quoi est-il mort?

LA MATRONE

Il est mort au Sphinx.

LE SPHINX, sombre.

Ah!...

LA MATRONE

Mon fils cadet peut bien prétendre qu'il a
été victime des intrigues de la police... Non...
Non... Je ne me trompe pas. Il est mort au Sphinx.
Ah! Mademoiselle... Je vivrais cent ans, je verrai
toujours la scène. Un matin (il n'était pas rentré
de la nuit), je crois qu'il frappe à la porte;
j'ouvre et je vois le dessous de ses pauvres pieds
et tout le corps après, et très loin, très loin, sa
pauvre petite figure et, à la nuque, tenez ici,
une grosse blessure d'où le sang ne coulait même
plus. On me le rapportait sur une civière. Alors,

mademoiselle, j'ai fait : Ho! et je suis tombée,
comme ça... Des malheurs pareils, comprenez-
vous, ça vous marque. Je vous félicite si vous
n'êtes pas de Thèbes et si vous n'avez point de
frère. Je vous félicite... Son cadet, l'orateur, il
veut le venger. A quoi bon? Mais il déteste les
prêtres et mon pauvre fils était de la série des
offrandes.

LE SPHINX

Des offrandes?

LA MATRONE

Dame oui. Les premiers mois du Sphinx, on
envoyait la troupe venger la belle jeunesse qu'on
trouvait morte un peu partout; et la troupe
rentrait bredouille. Le Sphinx restait introu-
vable. Ensuite, le bruit s'étant répandu que le
Sphinx posait des devinettes, on a sacrifié la
jeunesse des écoles; alors les prêtres ont déclaré
que le Sphinx exigeait des offrandes. C'est là-
dessus qu'on a choisi les plus jeunes, les plus
faibles, les plus beaux.

LE SPHINX

Pauvre madame!

LA MATRONE

Je le répète, mademoiselle, il faudrait une
poigne. La reine Jocaste est encore jeune. De
loin, on lui donnerait vingt-neuf, trente ans. Il
faudrait un chef qui tombe du ciel, qui l'épouse,

qui tue la bête, qui punisse les trafics, qui
boucle Créon et Tirésias, qui relève les finances,
qui remonte le moral du peuple, qui l'aime, qui
nous sauve, quoi! qui nous sauve...

LE FILS

Maman!

LA MATRONE

Laisse...

LE FILS

Maman... dis, maman, comment il est le
Sphinx?

LA MATRONE

Je ne sais pas. (*Au Sphinx.*) Voilà-t-il point
qu'ils inventent de nous demander nos derniers
sous pour construire un monument aux morts
du Sphinx? Croyez-vous que cela nous les rende.

LE FILS

Maman... Comment il est le Sphinx?

LE SPHINX

Le pauvre! sa sœur dort. Viens...

Le fils se met dans les jupes du Sphinx.

LA MATRONE

N'ennuie pas la dame.

LE SPHINX

Laissez-le...

Elle lui caresse la nuque.

LE FILS

Maman, dis, c'est cette dame, le Sphinx?

LA MATRONE

Tu es trop bête. (*Au Sphinx.*) Excusez-le, à cet âge, ils ne savent pas ce qu'ils disent... (*Elle se lève.*) Ouf! (*Elle charge ia petite fille endormie sur ses bras.*) Allons! Allons! En route, mauvaise troupe!

LE FILS

Maman, c'est cette dame, le Sphinx? Dis, maman, c'est le Sphinx cette dame? C'est ça le Sphinx?

LA MATRONE

Assez, ne sois pas stupide! (*Au Sphinx.*) Bonsoir, mademoiselle. Exusez-moi si je bavarde. J'étais contente de souffler une petite minute... Et... méfiez-vous! (*Fanfare.*) Vite. Voilà la deuxième relève; à la troisième, nous resterions dehors.

LE SPHINX

Dépêchez-vous. Je vais courir de mon côté. Vous m'avez donné l'alarme.

LA MATRONE

Croyez-moi, nous ne serons tranquilles que si un homme à poigne nous débarrasse de ce fléau.

Elle sort par la droite.

LA VOIX DU FILS

Dis, maman, comment il est le Sphinx?...
C'était pas cette dame?... Alors comment il
est?...

LE SPHINX, seul.

Un fléau!

ANUBIS, sortant des ruines.

Il ne nous manquait que cette matrone.

LE SPHINX

Voilà deux jours que je suis triste, deux jours
que je me traîne, en souhaitant que ce massacre
prenne fin.

ANUBIS

Confiez-vous, calmez-vous.

LE SPHINX

Ecoute. Voilà le vœu que je forme et les cir-
constances dans lesquelles il me serait possible
de monter une dernière fois sur mon socle. Un
jeune homme gravirait la colline. Je l'aimerais.
Il n'aurait aucune crainte. A la question que
je pose il répondrait comme un égal. Il ré-pon-
drait, Anubis, et je tomberais morte.

ANUBIS

Entendons-nous : votre forme mortelle tom-
berait morte.

LE SPHINX

N'est-ce pas sous cette forme que je voudrais vivre pour le rendre heureux.

ANUBIS

Il est agréable de voir qu'en s'incarnant une grande déesse ne devient pas une petite femme.

LE SPHINX

Tu vois que j'avais plus que raison et que la sonnerie que nous venons d'entendre était la dernière.

ANUBIS

Fille des hommes! On n'en a jamais fini avec vous. Non, non et non!

Il s'éloigne et monte sur une colonne renversée.

Cette sonnerie était la deuxième. Il m'en faut encore une, et vous serez libre. Oh!

LE SPHINX

Qu'as-tu?

ANUBIS

Mauvaise nouvelle.

LE SPHINX

Un voyageur?

ANUBIS

Un voyageur...

Le Sphinx rejoint Anubis sur la colonne et regarde en coulisse, à gauche.

LE SPHINX

C'est impossible, impossible. Je refuse d'interroger ce jeune homme. Inutile, ne me le demande pas.

ANUBIS

Je conviens que si vous ressemblez à une jeune mortelle, il ressemble fort à un jeune dieu.

LE SPHINX

Quelle démarche, Anubis, et ces épaules! Il approche.

ANUBIS

Je me cache. N'oubliez pas que vous êtes le Sphinx. Je vous surveille. Je paraîtrai au moindre signe.

LE SPHINX

Anubis, un mot... vite...

ANUBIS

Chut!... le voilà! (*Il se cache.*)

Œdipe entre par le fond à gauche. Il marche tête basse et sursaute.

ŒDIPE

Oh! Pardon...

LE SPHINX

Je vous ai fait peur.

ŒDIPE

C'est-à-dire... non... mais je rêvais, j'étais à cent lieues de l'endroit où nous sommes, et... là, tout à coup...

LE SPHINX

Vous m'avez prise pour un animal.

ŒDIPE

Presque.

LE SPHINX

Presque? Presque un animal, c'est le Sphinx?

ŒDIPE

Je l'avoue.

LE SPHINX

Vous avouez m'avoir prise pour le Sphinx. Merci.

ŒDIPE

Je me suis vite rendu compte de mon erreur!

LE SPHINX

Trop aimable. Le fait est que pour un jeune homme, ce ne doit pas être drôle de se trouver brusquement nez à nez avec lui.

ŒDIPE

Et pour une jeune fille?

LE SPHINX

Il ne s'attaque pas aux jeunes filles.

ŒDIPE

Parce que les jeunes filles évitent les endroits qu'il fréquente et n'ont guère l'habitude, il me semble, de sortir seules après la chute du jour.

LE SPHINX

Mêlez-vous, cher monsieur, de ce qui vous regarde et laissez-moi passer mon chemin.

ŒDIPE

Quel chemin?

LE SPHINX

Vous êtes extraordinaire. Dois-je rendre compte à un étranger du but de ma promenade?

ŒDIPE

Et si je le devinais, moi, ce but.

LE SPHINX

Vous m'amusez beaucoup.

ŒDIPE

Ce but... ne serait-ce pas la curiosité qui ravage toutes les jeunes femmes modernes, la curiosité de savoir comment le Sphinx est fait? S'il a des griffes, un bec, des ailes? S'il tient du tigre ou du vautour?

LE SPHINX

Allez, allez...

ŒDIPE

Le Sphinx est le criminel à la mode. Qui l'a vu? Personne. On promet à qui le découvrira des récompenses fabuleuses. Les lâches tremblent. Les jeunes hommes meurent... Mais une jeune fille ne pourrait-elle se risquer dans la zone interdite, braver les consignes, oser ce que personne de raisonnable n'ose, dénicher le monstre, le surprendre au gîte, l'apercevoir!

LE SPHINX

Vous faites fausse route, je vous le répète. Je rentre chez une parente qui habite la campagne, et comme j'oubliais qu'il existe un Sphinx et que les environs de Thèbes ne sont pas sûrs, je me reposais une minute, assise sur les pierres de cette ruine. Vous voyez que nous sommes loin de compte.

ŒDIPE

Dommage! Depuis quelque temps je ne croise que des personnes si plates; alors j'espérais un peu d'imprévu. Excusez-moi.

LE SPHINX

Bonsoir!

ŒDIPE

Bonsoir!

Ils se croisent. Mais Œdipe se retourne.

Eh bien, mademoiselle, au risque de me

rendre odieux, figurez-vous que je n'arrive pas
à vous croire et que votre présence dans ces
ruines continue de m'intriguer énormément.

LE SPHINX

Vous êtes incroyable.

ŒDIPE

Car, si vous étiez une jeune fille comme les
autres, vous auriez déjà pris vos jambes à votre
cou.

LE SPHINX

Vous êtes de plus en plus comique, mon garçon.

ŒDIPE

Il me paraissait si merveilleux de trouver,
chez une jeune fille, un émule digne de moi.

LE SPHINX

Un émule? Vous cherchez donc le Sphinx?

ŒDIPE

Si je le cherche! Sachez que depuis un mois je
marche sans fatigue, et c'est pourquoi j'ai dû
manquer de savoir-vivre, car j'étais si fiévreux
en approchant de Thèbes que j'eusse crié mon
enthousiasme à n'importe quelle colonne, et
voilà qu'au lieu d'une colonne, une jeune fille
blanche se dresse sur ma route. Alors je n'ai pu
m'empêcher de l'entretenir de ce qui me préoc-

cupe et de lui prêter les mêmes intentions qu'à moi.

LE SPHINX

Mais, dites, il me semble que, tout à l'heure, en me voyant surgir de l'ombre, vous paraissiez mal sur vos gardes, pour un homme qui souhaite se mesurer avec l'ennemi.

ŒDIPE

C'est juste! Je rêvais de gloire, et la bête m'eût pris en défaut. Demain, à Thèbes, je m'équipe, et la chasse commence.

LE SPHINX

Vous aimez la gloire?

ŒDIPE

Je ne sais pas si j'aime la gloire; j'aime les foules qui piétinent, les trompettes, les oriflammes qui claquent, les palmes qu'on agite, le soleil, l'or, la pourpre, le bonheur, la chance, vivre enfin!

LE SPHINX

Vous appelez cela vivre.

ŒDIPE

Et vous?

LE SPHINX

Moi non. J'avoue avoir une idée toute différente de la vie.

ŒDIPE

Laquelle?

LE SPHINX

Aimer. Etre aimé de qui on aime.

ŒDIPE

J'aimerai mon peuple, il m'aimera.

LE SPHINX

La place publique n'est pas un foyer.

ŒDIPE

La place publique n'empêche rien. A Thèbes le peuple cherche un homme. Si je tue le Sphinx je serai cet homme. La reine Jocaste est veuve, je l'épouserai...

LE SPHINX

Une femme qui pourrait être votre mère!

ŒDIPE

L'essentiel est qu'elle ne le soit pas.

LE SPHINX

Croyez-vous qu'une reine et qu'un peuple se livrent au premier venu?

ŒDIPE

Le vainqueur du Sphinx serait-il le premier venu? Je connais la récompense. La reine lui est promise. Ne riez pas, soyez bonne... Il faut que vous m'écoutiez. Il faut que je vous prouve

que mon rêve n'est pas un simple rêve. Mon
père est roi de Corinthe. Mon père et ma mère
me mirent au monde lorsqu'ils étaient déjà
vieux, et j'ai vécu dans une cour maussade. Trop
de caresses, de confort excitaient en moi je ne
sais quel démon d'aventures. Je commençais de
languir, de me consumer, lorsqu'un soir un
ivrogne me cria que j'étais un bâtard et que
j'usurpais la place d'un fils légitime. Il y eut des
coups, des insultes; et le lendemain, malgré les
larmes de Mérope et de Polybe, je décidai de
visiter les sanctuaires et d'interroger les dieux.
Tous me répondirent par le même oracle : Tu
assassineras ton père et tu épouseras ta mère.

LE SPHINX

Hein?

ŒDIPE

Oui... oui... Au premier abord cet oracle suf-
foque, mais j'ai la tête solide. Je réfléchis à l'ab-
surdité de la chose, je fis la part des dieux et des
prêtres et j'arrivai à cette conclusion : ou l'oracle
cachait un sens moins grave qu'il s'agissait de
comprendre; ou les prêtres, qui correspondent
de temple en temple par les oiseaux, trouvaient
un avantage à mettre cet oracle dans la bouche
des dieux et à m'éloigner du pouvoir. Bref,
j'oubliai vite mes craintes et, je l'avoue, je pro-
fitai de cette menace de parricide et d'inceste
pour fuir la cour et satisfaire ma soif d'inconnu.

LE SPHINX

C'est mon tour de me sentir étourdie. Je m'excuse de m'être un peu moquée de vous. Vous me pardonnez, prince?

ŒDIPE

Donnons-nous la main. Puis-je vous demander votre nom? Moi, je m'appelle Œdipe; j'ai dix-neuf ans.

LE SPHINX

Qu'importe! Laissez mon nom, Œdipe. Vous devez aimer les noms illustres... Celui d'une petite fille de dix-sept ans ne vous intéresserait pas.

ŒDIPE

Vous êtes méchante.

LE SPHINX

Vous adorez la gloire. Et pourtant la manière la plus sûre de déjouer l'oracle ne serait-elle pas d'épouser une femme plus jeune que vous?

ŒDIPE

Voici une parole qui ne vous ressemble pas. La parole d'une mère de Thèbes où les jeunes gens à marier se font rares.

LE SPHINX

Voici une parole qui ne vous ressemble pas, une parole lourde et vulgaire.

ŒDIPE

Alors j'aurais couru les routes, franchi des montagnes et des fleuves pour prendre une épouse qui deviendra vite un Sphinx, pire que le Sphinx, un Sphinx à mamelles et à griffes!

LE SPHINX

Œdipe...

ŒDIPE

Non pas! Je tenterai ma chance. Prenez cette ceinture; elle vous permettra de venir jusqu'à moi lorsque j'aurai tué la bête.

Jeu de scène.

LE SPHINX

Avez-vous déjà tué?

ŒDIPE

Une fois. C'était au carrefour où les routes de Delphes et de Daulie se croisent. Je marchais comme tout à l'heure. Une voiture approchait conduite par un vieillard, escorté de quatre domestiques. Comme je croisais l'attelage, un cheval se cabre, me bouscule et me jette contre un des domestiques. Cet imbécile lève la main sur moi. J'ai voulu répondre avec mon bâton, mais il se courbe et j'attrape le vieillard à la tempe. Il tombe. Les chevaux s'emballent, ils le traînent. Je cours après : les domestiques épouvantés se sauvent; et je me retrouve seul avec le cadavre d'un vieillard qui saigne, et des chevaux empêtrés qui se roulent en hennissant et en cassant leurs jambes. C'était atroce... atroce...

LE SPHINX

Oui, n'est-ce pas... c'est atroce de tuer...

ŒDIPE

Ma foi, ce n'était pas ma faute, et je n'y pense plus. Il importe que je saute les obstacles, que je porte des œillères, que je ne m'attendrisse pas. D'abord mon étoile.

LE SPHINX

Alors, adieu Œdipe. Je suis du sexe qui dérange les héros. Quittons-nous, je crois que nous n'aurions plus grand-chose à nous dire.

ŒDIPE

Déranger les héros! Vous n'y allez pas de main morte.

LE SPHINX

Et... si le Sphinx vous tuait?

ŒDIPE

Sa mort dépend, si je ne me trompe, d'un interrogatoire auquel je devrai répondre. Si je devine, il ne me touche même pas, il meurt.

LE SPHINX

Et si vous ne devinez pas?

ŒDIPE

J'ai fait, grâce à ma triste enfance, des études qui me procurent bien des avantages sur les garnements de Thèbes.

LE SPHINX

Vous m'en direz tant!

ŒDIPE

Et je ne pense pas que le monstre naïf s'attende à se trouver face à face avec l'élève des meilleurs lettrés de Corinthe.

LE SPHINX

Vous avez réponse à tout. Hélas! car, vous l'avouerai-je, Œdipe, j'ai une faiblesse : les faibles me plaisent et j'eusse aimé vous prendre en défaut.

ŒDIPE

Adieu.

> Le Sphinx fait un pas pour s'élancer à sa poursuite et s'arrête, mais ne peut résister à un appel. Jusqu'à son « moi! moi! » le Sphinx ne quitte plus les yeux d'Œdipe, bougeant comme autour de ce regard immobile, fixe, vaste, aux paupières qui ne battent pas.

LE SPHINX

Œdipe!

ŒDIPE

Vous m'appelez?

LE SPHINX

Un dernier mot. Jusqu'à nouvel ordre, rien d'autre ne préoccupe votre esprit, rien d'autre ne fait battre votre cœur, rien d'autre n'agite votre âme que le Sphinx?

ŒDIPE

Rien d'autre, jusqu'à nouvel ordre.

LE SPHINX

Et celui ou... celle qui vous mettrait en sa présence,... je veux dire qui vous aiderait... je veux dire qui saurait peut-être quelque chose facilitant cette rencontre... se revêtirait-il, ou elle, de prestige, au point de vous toucher, de vous émouvoir?

ŒDIPE

Certes, mais que prétendez-vous?

LE SPHINX

Et si moi, moi, je vous livrais un secret, un secret immense?

ŒDIPE

Vous plaisantez!

LE SPHINX

Un secret qui vous permette d'entrer en contact avec l'énigme des énigmes, avec la bête humaine, avec la chienne qui chante, comme ils disent, avec le Sphinx?

ŒDIPE

Quoi? Vous! Vous! Aurais-je deviné juste, et
votre curiosité aurait-elle découvert... Mais non!
Je suis absurde. C'est une ruse de femme pour
m'obliger à rebrousser chemin.

LE SPHINX

Bonsoir.

ŒDIPE

Pardon...

LE SPHINX

Inutile.

ŒDIPE

Je suis un niais qui s'agenouille et qui vous
conjure de lui pardonner.

LE SPHINX

Vous êtes un fat, qui regrette d'avoir perdu
sa chance et qui essaie de la reprendre.

ŒDIPE

Je suis un fat, j'ai honte. Tenez, je vous
crois, je vous écoute. Mais si vous m'avez joué
un tour, je vous tirerai par les cheveux et je
vous pincerai jusqu'au sang.

LE SPHINX

Venez.

Elle le mène en face du socle.

Fermez les yeux. Ne trichez pas. Comptez jusqu'à cinquante.

> ŒDIPE, les yeux fermés.

Prenez garde!

LE SPHINX

Chacun son tour.

> Œdipe compte. On sent qu'il se passe un événement extraordinaire. Le Sphinx bondit à travers les ruines, disparaît derrière le mur et reparaît, engagé dans le socle praticable, c'est à-dire qu'il semble accroché au socle, le buste dressé sur les coudes, la tête droite, alors que l'actrice se tient debout, ne laissant paraître que son buste et ses bras couverts de gants mouchetés, les mains griffant le rebord, que l'aile brisée donne naissance à des ailes subites, immenses, pâles, lumineuses, et que le fragment de statue la complètent, la prolongent et paraissent lui appartenir. On entend Œdipe compter 47, 48, 49, attendre un peu et crier 50. Il se retourne.

ŒDIPE

Vous!

> LE SPHINX, d'une voix lointaine,
> haute, joyeuse, terrible.

Moi! Moi! le Sphinx!

ŒDIPE

Je rêve!

LE SPHINX

Tu n'es pas un rêveur, Œdipe. Ce que tu
veux, tu le veux, tu l'as voulu. Silence. Ici
j'ordonne. Approche.

> Œdipe, les bras au corps, comme paralysé, tente
> avec rage de se rendre libre.

LE SPHINX

Avance. (*Œdipe tombe à genoux.*) Puisque
tes jambes te refusent leur aide, saute, sautille...
Il est bon qu'un héros se rende un peu ridicule.
Allons, va, va! Sois tranquille. Il n'y a personne
pour te regarder.

> Œdipe se tordant de colère, avance sur les genoux.

LE SPHINX

C'est bien. Halte! Et maintenant...

ŒDIPE

Et maintenant, je commence à comprendre
vos méthodes et par quelles manœuvres vous
enjôlez et vous égorgez les voyageurs.

LE SPHINX

... Et maintenant je vais te donner un spec-
tacle. Je vais te montrer ce qui se passerait à
cette place, Œdipe, si tu étais n'importe quel
joli garçon de Thèbes et si tu n'avais eu le pri-
vilège de me plaire.

ŒDIPE

Je sais ce que valent vos amabilités.

Il se crispe des pieds à la tête. On voit qu'il lutte
contre un charme.

LE SPHINX

Abandonne-toi. N'essaie pas de te crisper, de
résister. Abandonne-toi. Si tu résistes, tu ne
réussiras qu'à rendre ma tâche plus délicate, et
je risque de te faire du mal.

ŒDIPE

Je résisterai!

Il ferme les yeux, détourne la tête.

LE SPHINX

Inutile de fermer les yeux, de détourner la
tête. Car ce n'est ni par le chant, ni par le
regard que j'opère. Mais, plus adroit qu'un
aveugle, plus rapide que le filet des gladiateurs,
plus subtil que la foudre, plus raide qu'un
cocher, plus lourd qu'une vache, plus sage qu'un
élève tirant la langue sur des chiffres, plus gréé,
plus voilé, plus ancré, plus bercé qu'un navire,
plus incorruptible qu'un juge, plus vorace que
les insectes, plus sanguinaire que les oiseaux,
plus nocturne que l'œuf, plus ingénieux que les
bourreaux d'Asie, plus fourbe que le cœur, plus
désinvolte qu'une main qui triche, plus fatal
que les astres, plus attentif que le serpent qui
humecte sa proie de salive; je sécrète, je tire de
moi, je lâche, je dévide, je déroule, j'enroule de
telle sorte qu'il me suffira de vouloir ces nœuds
pour les faire et d'y penser pour les tendre ou

pour les détendre; si mince qu'il t'échappe, si
souple que tu t'imagineras être victime de
quelque poison, si dur qu'une maladresse de
ma part t'amputerait, si tendu qu'un archet
obtiendrait entre nous une plainte céleste;
bouclé comme la mer, la colonne, la rose, musclé
comme la pieuvre, machiné comme les décors
du rêve, invisible surtout, invisible et majes-
tueux comme la circulation du sang des statues,
un fil qui te ligote avec la volubilité des ara-
besques folles du miel qui tombe sur du miel.

ŒDIPE

Lâchez-moi!

LE SPHINX

Et je parle, je travaille, je dévide, je déroule,
je calcule, je médite, je tresse, je vanne, je tricote, je natte, je croise, je passe, je repasse, je
noue et dénoue et renoue, retenant les moindres
nœuds qu'il me faudra te dénouer ensuite sous
peine de mort; et je serre, je desserre, je me
trompe, je reviens sur mes pas, j'hésite, je cor-
rige, enchevêtre, désenchevêtre, délace, entre-
lace, repars; et j'ajuste, j'agglutine, je garrotte,
je sangle, j'entrave, j'accumule, jusqu'à ce que
tu te sentes, de la pointe des pieds à la racine
des cheveux, vêtu de toutes les boucles d'un
seul reptile dont la moindre respiration coupe
la tienne et te rende pareil au bras inerte sur
lequel un dormeur s'est endormi.

ŒDIPE, d'une voix faible.

Laissez-moi! Grâce...

LE SPHINX

Et tu demanderais grâce et tu n'aurais pas à en avoir honte, car tu ne serais pas le premier, et j'en ai entendu de plus superbes appeler leur mère, et j'en ai vu de plus insolents fondre en larmes, et les moins démonstratifs étaient encore les plus faibles, car ils s'évanouissaient en route, et il me fallait imiter les embaumeurs entre les mains desquels les morts sont des ivrognes qui ne savent même plus se tenir debout!

ŒDIPE

Mérope!... Maman!

LE SPHINX

Ensuite, je te commanderais d'avancer un peu et je t'aiderais en desserrant tes jambes. Là! Et je t'interrogerais. Je te demanderais par exemple : Quel est l'animal qui marche sur quatre pattes le matin, sur deux pattes à midi, sur trois pattes le soir? Et tu chercherais, tu chercherais. A force de chercher, ton esprit se poserait sur une petite médaille de ton enfance, ou tu répéterais un chiffre, ou tu compterais les étoiles entre ces deux colonnes détruites; et je te remettrais au fait en te dévoilant l'énigme.

Cet animal est l'homme qui marche à quatre pattes lorsqu'il est enfant, sur deux pattes quand

il est valide, et lorsqu'il est vieux, avec la troisième patte d'un bâton.

ŒDIPE

C'est trop bête!

LE SPHINX

Tu t'écrierais : C'est trop bête! Vous le dites
tous. Alors puisque cette phrase confirme ton
échec, j'appellerais Anubis, mon aide. Anubis!

*Anubis paraît, les bras croisés, la tête de profil,
debout à droite du socle.*

ŒDIPE

Oh! Madame... Oh! Madame! Oh! non! non!
non! non, madame!

LE SPHINX

Et je te ferais mettre à genoux. Allons...
Allons... là, là... Sois sage. Et tu courberais la
tête... et l'Anubis s'élancerait. Il ouvrirait ses
mâchoires de loup!

Œdipe pousse un cri.

J'ai dit : courberais, s'élancerait... ouvrirait...
N'ai-je pas toujours eu soin de m'exprimer sur
ce mode? Pourquoi ce cri? Pourquoi cette face
d'épouvante? C'était une démonstration, Œdipe,
une simple démonstration. Tu es libre.

ŒDIPE

Libre!

Il remue un bras, une jambe... il se lève, il titube,
il porte la main à sa tête.

ANUBIS

Pardon, Sphinx. Cet homme ne peut sortir
d'ici sans subir l'épreuve.

LE SPHINX

Mais...

ANUBIS

Interroge-le...

ŒDIPE

Mais...

ANUBIS

Silence! Interroge cet homme.

Un silence. Œdipe tourne le dos, immobile.

LE SPHINX

Je l'interrogerai... je l'interrogerai... C'est bon.
(*Avec un dernier regard de surprise vers Anubis.*) Quel est l'animal qui marche sur quatre
pattes le matin, sur deux pattes à midi, sur trois
pattes le soir?

ŒDIPE

L'homme, parbleu! qui se traîne à quatre
pattes lorsqu'il est petit, qui marche sur deux
pattes lorsqu'il est grand et qui, lorsqu'il est
vieux, s'aide avec la troisième patte d'un bâton.

Le Sphinx roule sur le socle.

ŒDIPE, prenant sa course vers la droite.

Vainqueur!

Il s'élance et sort par la droite. Le Sphinx glisse
dans la colonne, disparaît derrière le mur,
reparaît sans ailes.

LE SPHINX

Œdipe! Où est-il? Où est-il?

ANUBIS

Parti, envolé. Il court à perdre haleine pro-
clamer sa victoire.

LE SPHINX

Sans un regard vers moi, sans un geste ému,
sans un signe de reconnaissance.

ANUBIS

Vous attendiez-vous à une autre attitude?

LE SPHINX

L'imbécile! Il n'a donc rien compris.

ANUBIS

Rien compris.

LE SPHINX

Kss! Kss! Anubis... Tiens, tiens, regarde, cours
vite, mords-le, Anubis, mords-le!

ANUBIS

Tout recommence. Vous revoilà femme et me
revoilà chien.

LE SPHINX

Pardon, je perds la tête, je suis folle. Mes
mains tremblent. J'ai la fièvre, je voudrais le
rejoindre d'un bond, lui cracher au visage, le
griffer, le défigurer, le piétiner, le châtrer, l'écor-
cher vif!

ANUBIS

Je vous retrouve.

LE SPHINX

Aide-moi! Venge-moi! Ne reste pas immobile.

ANUBIS

Vous détestez vraiment cet homme?

LE SPHINX

Je le déteste.

ANUBIS

S'il lui arrivait le pire, le pire vous paraîtrait
encore trop doux?

LE SPHINX

Trop doux.

ANUBIS, il montre la robe de Sphinx.

Regardez les plis de cette étoffe. Pressez-les
les uns contre les autres. Et maintenant, si vous
traversez cette masse d'une épingle, si vous
enlevez l'épingle, si vous lissez l'étoffe jusqu'à
faire disparaître toute trace des anciens plis,
pensez-vous qu'un nigaud de campagne puisse

croire que les innombrables trous qui se
répètent de distance en distance résultent d'un
seul coup d'épingle?

LE SPHINX

Certes non.

ANUBIS

Le temps des hommes est de l'éternité pliée.
Pour nous, il n'existe pas. De sa naissance à sa
mort la vie d'Œdipe s'étale, sous mes yeux, plate,
avec sa suite d'épisodes.

LE SPHINX

Parle, parle, Anubis, je brûle. Que vois-tu?

ANUBIS

Jadis, Jocaste et Laïus eurent un enfant.
L'oracle ayant annoncé que cet enfant serait un
fléau...

LE SPHINX

Un fléau!

ANUBIS

Un monstre, une bête immonde...

LE SPHINX

Plus vite! plus vite!

ANUBIS

Jocaste le ligota et l'envoya perdre sur la montagne. Un berger de Polybe le trouve, l'emporte

et, comme Polybe et Mérope se lamentaient
d'une couche stérile...

LE SPHINX

Je tremble de joie.

ANUBIS

Ils l'adoptent. Œdipe, fils de Laïus, a tué
Laïus au carrefour des trois routes.

LE SPHINX

Le vieillard!

ANUBIS

Fils de Jocaste, il épousera Jocaste.

LE SPHINX

Et moi qui lui disais : « Elle pourrait être
votre mère. » Et il répondait : « L'essentiel est
qu'elle ne le soit pas. » Anubis! Anubis! C'est
trop beau, trop beau.

ANUBIS

Il aura deux fils qui s'entr'égorgeront, deux
filles dont une se pendra. Jocaste se pendra...

LE SPHINX

Halte! Que pourrais-je espérer de plus? Songe,
Anubis : les noces d'Œdipe et de Jocaste! Les
noces du fils et de la mère... Et le saura-t-il vite?

ANUBIS

Assez vite.

LE SPHINX

Quelle minute! D'avance, avec délices je la savoure. Hélas! Je voudrais être là.

ANUBIS

Vous serez là.

LE SPHINX

Est-ce possible?

ANUBIS

Le moment est venu où j'estime nécessaire de vous rappeler qui vous êtes et quelle distance risible vous sépare de cette petite forme qui m'écoute. Vous qui avez assumé le rôle du Sphinx! Vous la Déesse des Déesses! Vous la grande entre les grandes! Vous l'implacable! Vous la Vengeance! Vous Némésis!

Anubis se prosterne.

LE SPHINX

Némésis...

> Elle tourne le dos à la salle et reste un long moment raide, les bras en croix. Soudain elle sort de cette hypnose et s'élance vers le fond.

Encore une fois, s'il est visible, je veux repaître ma haine, je veux le voir courir d'un piège dans un autre, comme un rat écervelé.

ANUBIS

Est-ce le cri de la déesse qui se réveille ou de la femme jalouse?

LE SPHINX

De la déesse, Anubis, de la déesse. Nos dieux m'ont distribué le rôle de Sphinx, je saurai en être digne.

ANUBIS

Enfin!

> Le Sphinx domine la plaine, il se penche, il inspecte. Tout à coup, il se retourne. Les moindres traces de la grandeur furieuse qui viennent de le transfigurer ont diparu.

LE SPHINX

Chien! Tu m'avais menti.

ANUBIS

Moi?

LE SPHINX

Oui, toi! menteur! menteur! Regarde la route. Œdipe a rebroussé chemin, il court, il vole, il m'aime, il a compris!

ANUBIS

Vous savez fort bien, madame, ce que vaut sa réussite et pourquoi le Sphinx n'est pas mort.

LE SPHINX

Vois-le qui saute de roche en roche comme mon cœur saute dans ma poitrine.

ANUBIS

Convaincu de son triomphe et de votre mort,

ce jeune étourneau vient de s'apercevoir que,
dans sa hâte, il oublie le principal.

LE SPHINX

Misérable! Tu prétends qu'il vient me chercher morte.

ANUBIS

Pas vous, ma petite furie, le Sphinx. Il croit
avoir tué le Sphinx; il faut qu'il le prouve.
Thèbes ne se contenterait pas d'une histoire de
chasse.

LE SPHINX

Tu mens! Je lui dirai tout! Je le préviendrai!
Je le sauverai. Je le détournerai de Jocaste, de
cette ville maudite...

ANUBIS

Prenez garde.

LE SPHINX

Je parlerai.

ANUBIS

Il entre. Laissez-le parler avant.

Œdipe, essoufflé, entre par le premier plan à
droite. Il voit le Sphinx et Anubis debout,
côte à côte.

ŒDIPE, saluant.

Je suis heureux, madame, de voir la bonne

santé dont les immortels jouissent après leur mort.

LE SPHINX

Que revenez-vous faire en ces lieux?

ŒDIPE

Chercher mon dû.

> Mouvement de colère d'Anubis du côté d'Œdipe qui recule.

LE SPHINX

Anubis!

> D'un geste elle lui ordonne de la laisser seule. Il s'écarte derrière les ruines. A Œdipe.

Vous l'aurez. Restez où vous êtes. Le vaincu est une femme. Il demande au vainqueur une dernière grâce.

ŒDIPE

Excusez-moi d'être sur mes gardes. Vous m'avez appris à me méfier de vos ruses féminines.

LE SPHINX

J'étais le Sphinx! Non, Œdipe... Vous ramènerez ma dépouille à Thèbes et l'avenir vous récompensera... selon vos mérites. Non... Je vous demande simplement de me laisser disparaître derrière ce mur afin d'ôter ce corps dans lequel je me trouve, l'avouerai-je, depuis quelques minutes,... un peu à l'étroit.

ŒDIPE

Soit! Mais dépêchez-vous. La dernière fanfare... (*On entend les trompettes.*) Tenez, j'en
parle, elle sonne. Il ne faudrait pas que je tarde.

LE SPHINX, caché.

Thèbes ne laissera pas à la porte un héros.

LA VOIX D'ANUBIS, derrière les ruines.

Hâtez-vous. Hâtez-vous..., madame. On dirait
que vous inventez des prétextes et que vous
traînez exprès.

LE SPHINX, caché.

Suis-je la première, Dieu des morts, que tu
doives tirer par sa robe?

ŒDIPE

Vous gagnez du temps, Sphinx.

LE SPHINX, caché.

N'en accusez que votre chance, Œdipe. Ma
hâte vous eût joué un mauvais tour. Car une
grave difficulté se présente. Si vous rapportez
à Thèbes le cadavre d'une jeune fille, en place
du monstre auquel les hommes s'attendent, la
foule vous lapidera.

ŒDIPE

C'est juste! Les femmes sont si étonnantes!
Elles pensent à tout.

LE SPHINX, caché.

Ils m'appellent : La vierge à griffes... La chienne qui chante... Ils veulent reconnaître mes crocs. Ne vous inquiétez pas. Anubis! Mon chien fidèle! Ecoute, puisque nos figures ne sont que des ombres, il me faut ta tête de chacal.

ŒDIPE

Excellent!

ANUBIS, caché.

Faites ce qui vous plaira pourvu que cette honteuse comédie finisse, et que vous puissiez revenir à vous.

LE SPHINX, caché.

Je ne serai pas longue.

ŒDIPE

Je compte jusqu'à cinquante comme tout à l'heure. C'est ma revanche.

ANUBIS, caché.

Madame, madame, qu'attendez-vous encore?

LE SPHINX

Me voilà laide, Anubis. Je suis un monstre!... Pauvre gamin... si je l'effraie...

ANUBIS

Il ne vous verra même pas, soyez tranquille.

LE SPHINX

Est-il donc aveugle?

ANUBIS

Beaucoup d'hommes naissent aveugles et ils ne s'en aperçoivent que le jour où une bonne vérité leur crève les yeux.

ŒDIPE

Cinquante!

ANUBIS, caché.

Allez... Allez...

LE SPHINX, caché.

Adieu, Sphinx!

> On voit sortir de derrière le mur, en chancelant, la jeune fille à tête de chacal. Elle bat l'air de ses bras et tombe.

ŒDIPE

Il était temps!

> Il s'élance, ne regarde même pas, ramasse le corps et se campe au premier plan à gauche. Il porte le corps en face de lui, à bras tendus.

Pas ainsi! Je ressemblerais à ce tragédien de Corinthe que j'ai vu jouer un roi et porter le corps de son fils. La pose était pompeuse et n'émouvait personne.

> Il essaie de tenir le corps sous son bras gauche; derrière les ruines, sur le monticule, apparaissent deux formes géantes couvertes de voiles irisés : les dieux.

ŒDIPE

Non! Je serais ridicule. On dirait un chasseur qui rentre bredouille après avoir tué son chien.

ANUBIS, la forme de droite.

Pour que les derniers miasmes humains abandonnent votre corps de déesse, sans doute serait-il bon que cet Œdipe vous désinfecte en se décernant au moins un titre de demi-dieu.

NÉMÉSIS, la forme de gauche.

Il est si jeune...

ŒDIPE

Hercule! Hercule jeta le lion sur son épaule!... (*Il charge le corps sur son épaule.*) Oui, sur mon épaule! Sur mon épaule! Comme un demi-dieu!

ANUBIS, voilé.

Il est for-mi-dable.

ŒDIPE se met en marche vers la droite, faisant deux pas après chacune de ses actions de grâces.

J'ai tué la bête immonde.

NÉMÉSIS, voilée.

Anubis... Je me sens très mal à l'aise.

ANUBIS

Il faut partir.

ŒDIPE

J'ai sauvé la ville!

ANUBIS

Allons, venez, venez, madame.

ŒDIPE

J'épouserai la reine Jocaste!

NÉMÉSIS, voilée.

Les pauvres, pauvres, pauvres hommes... Je n'en peux plus, Anubis... J'étouffe. Quittons la terre.

ŒDIPE

Je serai roi!

> Une rumeur enveloppe les deux grandes formes. Les voiles volent autour d'elles. Le jour se lève. On entend des coqs.

RIDEAU

ACTE III

LA NUIT DE NOCES

LA VOIX

Depuis l'aube, les fêtes du couronnement et des noces se succèdent. La foule vient d'acclamer une dernière fois la reine et le vainqueur du Sphinx.

Chacun rentre chez soi. On n'entend plus, sur la petite place du palais royal que le bruit d'une fontaine. Œdipe et Jocaste se trouvent enfin tête à tête dans la chambre nuptiale. Ils dorment debout, et, malgré quelque signe d'intelligence et de politesse du destin, le sommeil les empêchera de voir la trappe qui se ferme sur eux pour toujours.

L'estrade représente la chambre de Jocaste, rouge
comme une petite boucherie au milieu des
architectures de la ville. Un large lit couvert
de fourrures blanches.. Au pied du lit, une
peau de bête. A gauche du lit, un berceau.
Au premier plan gauche, une baie grillagée donne
sur une place de Thèbes. Au premier plan
droite un miroir mobile de taille humaine.
Œdipe et Jocaste portent les costumes du couronnement. Dès le lever du rideau ils se meuvent
dans le ralenti d'une extrême fatigue.

JOCASTE

Ouf! je suis morte! tu es tellement actif! J'ai
peur que cette chambre te devienne une cage,
une prison.

ŒDIPE

Mon cher amour! Une chambre de femme!
Une chambre qui embaume, ta chambre! Après

cette journée éreintante, après ces cortèges, ce
cérémonial, cette foule qui continuait à nous
acclamer sous nos fenêtres...

JOCASTE

Pas à nous acclamer... à t'acclamer, toi.

ŒDIPE

C'est pareil.

JOCASTE

Il faut être véridique, petit vainqueur. Ils me
détestent. Mes robes les agacent, mon accent les
agace, mon noir aux yeux les agace, mon rouge
aux lèvres les agace, ma vivacité les agace.

ŒDIPE

Créon les agace! Créon le sec, le dur, l'inhumain. Je relèverai ton prestige. Ah! Jocaste, quel
beau programme!

JOCASTE

Il était temps que tu viennes, je n'en peux
plus.

ŒDIPE

Ta chambre, une prison; ta chambre... et
notre lit.

JOCASTE

Veux-tu que j'ôte le berceau? Depuis la mort
de l'enfant, il me le fallait près de moi, je ne
pouvais pas dormir... j'étais trop seule... Mais
maintenant...

ŒDIPE, d'une voix confuse.

Mais maintenant...

JOCASTE

Que dis-tu?

ŒDIPE

Je dis... je dis... que c'est lui... lui... le chien...
je veux dire... le chien qui refuse le chien... le
chien fontaine...

Sa tête tombe.

JOCASTE

Œdipe! Œdipe!

ŒDIPE, réveillé en sursaut.

Hein?

JOCASTE

Tu t'endormais!

ŒDIPE

Moi? pas du tout.

JOCASTE

Si. Tu me parlais de chien, de chien qui
refuse, de chien fontaine; et moi je t'écoutais.

Elle rit et semble, elle-même, tomber dans le vague.

ŒDIPE

C'est absurde!

JOCASTE

Je te demande si tu veux que j'ôte le berceau, s'il te gêne...

ŒDIPE

Suis-je un gamin pour craindre ce joli fantôme de mousseline? Au contraire, il sera le berceau de ma chance. Ma chance y grandira près de notre premier amour, jusqu'à ce qu'il serve à notre premier fils. Alors!...

JOCASTE

Mon pauvre adoré... Tu meurs de fatigue et nous restons là... debout (*même jeu qu'Œdipe*), debout sur ce mur...

ŒDIPE

Quel mur?

JOCASTE

Ce mur de ronde. (*Elle sursaute.*) Un mur... Hein? Je... je... (*Hagarde.*) Qu'y a-t-il?

ŒDIPE, riant.

Eh bien, cette fois, c'est toi qui rêves. Nous dormons debout, ma pauvre chérie.

JOCASTE

J'ai dormi? J'ai parlé?

ŒDIPE

Je te parle de chien de fontaine, tu me parles de mur de ronde : voilà notre nuit de noces.

Ecoute, Jocaste, je te supplie (tu m'écoutes?) s'il m'arrive de m'endormir encore, je te supplie de me réveiller, de me secouer, et si tu t'endors, je ferai de même. Il ne faut pas que cette nuit unique sombre dans le sommeil. Ce serait trop triste.

JOCASTE

Fou bien-aimé, pourquoi? Nous avons toute la vie.

ŒDIPE

C'est possible, mais je ne veux pas que le sommeil me gâche le prodige de passer cette nuit de fête profondément seul avec toi. Je propose d'ôter ces étoffes si lourdes et puisque nous n'attendons personne...

JOCASTE

Ecoute, mon garçon chéri, tu vas te fâcher...

ŒDIPE

Jocaste! ne me dis pas qu'il reste encore quelque chose d'officiel au programme.

JOCASTE

Pendant que mes femmes me coiffent, l'étiquette exige que tu reçoives une visite.

ŒDIPE

Une visite! à des heures pareilles!

JOCASTE

Une visite... une visite... Une visite de pure forme.

ŒDIPE

Dans cette chambre?

JOCASTE

Dans cette chambre.

ŒDIPE

Et de qui cette visite?

JOCASTE

Ne te fâche pas. De Tirésias.

ŒDIPE

Tirésias? Je refuse!

JOCASTE

Ecoute...

ŒDIPE

C'est le comble! Tirésias dans le rôle de la famille qui prodigue les derniers conseils. Laisse-moi rire et refuser la visite de Tirésias.

JOCASTE

Mon petit fou, je te le demande. C'est une vieille coutume de Thèbes que le grand prêtre consacre en quelque sorte l'union des souverains. Et puis Tirésias est notre vieil oncle, notre chien de garde. Je l'aime beaucoup, Œdipe, et

Laïus l'adorait; il est presque aveugle. Il serait maladroit de le blesser et de le mettre contre notre amour.

ŒDIPE

C'est égal... en pleine nuit...

JOCASTE

Fais-le. Fais-le pour nous et pour l'avenir. C'est capital. Vois-le cinq minutes, mais vois-le, écoute-le. Je te le demande.

Elle l'embrasse.

ŒDIPE

Je te préviens que je ne le laisserai pas s'asseoir.

JOCASTE

Je t'aime. (*Long baiser.*) Je ne serai pas longue. (*A la sortie de gauche.*) Je vais le faire prévenir que la place est libre. Patience. Fais-le pour moi. Pense à moi.

Elle sort.

Œdipe, resté seul se regarde dans le miroir et prend des poses. Tirésias entre par la droite sans être entendu. Œdipe le voit au milieu de de la chambre et se retourne d'un bloc.

ŒDIPE

Je vous écoute.

TIRÉSIAS

Halte-là, monseigneur, qui vous a dit que je vous réservais un sermon?

ŒDIPE

Personne, Tirésias, personne. Simplement, je ne suppose pas qu'il vous soit agréable de jouer les trouble-fête. Sans doute attendez-vous que je feigne d'avoir reçu vos conseils. Je m'inclinerai, vous me bénirez et nous nous donnerons l'accolade. Notre fatigue y trouvera son compte en même temps que les usages. Ai-je deviné juste?

TIRÉSIAS

Peut-être est-il exact qu'il y ait à la base de cette démarche une sorte de coutume, mais il faudrait pour cela un mariage royal avec tout ce qu'il comporte de dynastique, de mécanique et, l'avouerai-je, de fastidieux. Non, monseigneur. Les événements imprévisibles nous mettent en face de problèmes et de devoirs nouveaux. Et vous conviendrez que votre sacre, que votre mariage, se présentent sous une forme difficile à classer, impropre à ranger dans un code.

ŒDIPE

On ne saurait dire avec plus de grâce que je tombe sur la tête de Thèbes comme une tuile tombe d'un toit!

TIRÉSIAS

Monseigneur!

ŒDIPE

Apprenez que tout ce qui se classe empeste la mort. Il faut se déclasser, Tirésias, sortir du rang. C'est le signe des chefs-d'œuvre et des héros. Un déclassé, voilà ce qui étonne et ce qui règne.

TIRÉSIAS

Soit, admettez alors qu'en assumant un rôle qui déborde le protocole, je me déclasse à mon tour.

ŒDIPE

Au but, Tirésias, au but.

TIRÉSIAS

J'irai donc au but et je parlerai en toute franchise. Monseigneur, les présages vous sont funestes, très funestes. Je devais vous mettre en garde.

ŒDIPE

Parbleu! Je m'y attendais. Le contraire m'eût étonné. Ce n'est pas la première fois que les oracles s'acharnent contre moi et que mon audace les déjoue.

TIRÉSIAS

Croyez-vous qu'on puisse les déjouer?

ŒDIPE

J'en suis la preuve. Et même si mon mariage dérange les dieux, que faites-vous de vos promesses, de votre délivrance, de la mort du Sphinx! et pourquoi les dieux m'ont-ils poussé jusqu'à cette chambre, si ces noces leur déplaisent?

TIRÉSIAS

Prétendez-vous résoudre en une minute le problème du libre arbitre? Hélas! Hélas! le pouvoir vous grise.

ŒDIPE

Le pouvoir vous échappe.

TIRÉSIAS

Vous parlez au pontife, prenez garde!

ŒDIPE

Prenez garde, pontife. Dois-je vous faire souvenir que vous parlez à votre roi?

TIRÉSIAS

Au mari de ma reine, monseigneur.

ŒDIPE

Jocaste m'a signifié tout à l'heure que son pouvoir passait absolu entre mes mains. Dites-le à votre maître.

TIRÉSIAS

Je ne sers que les dieux.

ŒDIPE

Enfin, si vous préférez cette formule, à celui qui guette votre retour.

TIRÉSIAS

Jeunesse bouillante! vous m'avez mal compris.

ŒDIPE

J'ai fort bien compris qu'un aventurier vous
gêne. Sans doute espérez-vous que j'ai trouvé le
Sphinx mort sur une route. Le vrai vainqueur
a dû me le vendre comme à ces chasseurs qui
achètent le lièvre au braconnier. Et si j'ai payé
la dépouille, que découvrirez-vous en fin de
compte, comme vainqueur du Sphinx? Ce qui
vous menaçait chaque minute et ce qui empê-
chait Créon de dormir : un pauvre soldat de
seconde classe que la foule porterait en triomphe
et qui réclamerait son dû... (*criant*) *son dû!*

TIRÉSIAS

Il n'oserait pas.

ŒDIPE

Enfin! Je vous l'ai fait dire. Le voilà le mot
de la farce. Les voilà vos belles promesses. Voilà
donc sur quoi vous comptiez.

TIRÉSIAS

La reine est plus que ma propre fille. Je dois
la surveiller et la défendre. Elle est faible, crédule, romanesque...

ŒDIPE

Vous l'insultez, ma parole.

TIRÉSIAS

Je l'aime.

ŒDIPE

Elle n'a plus besoin que de mon amour.

TIRÉSIAS

C'est au sujet de cet amour, Œdipe, que j'exige une explication. Aimez-vous la reine?

ŒDIPE

De toute mon âme.

TIRÉSIAS

J'entends : Aimez-vous la prendre dans vos bras?

ŒDIPE

J'aime surtout qu'elle me prenne dans les siens.

TIRÉSIAS

Je vous sais gré de cette nuance. Vous êtes jeune, Œdipe, très jeune. Jocaste pourrait être votre mère. Je sais, je sais, vous allez me répondre...

ŒDIPE

Je vais vous répondre que j'ai toujours rêvé d'un amour de ce genre, d'un amour presque maternel.

TIRÉSIAS

Œdipe ne confondez-vous pas la gloire et

l'amour? Aimeriez-vous Jocaste si elle ne régnait pas?

ŒDIPE

Question stupide et cent fois posée. Jocaste m'aimerait-elle si j'étais vieux, laid, si je ne sortais pas de l'inconnu? Croyez-vous qu'on ne puisse prendre le mal d'amour en touchant l'or et la pourpre? Les privilèges dont vous parlez ne sont-ils pas la substance même de Jocaste et si étroitement enchevêtrés à ses organes qu'on ne puisse les désunir. De toute éternité nous appartenions l'un à l'autre. Son ventre cache les plis et replis d'un manteau de pourpre beaucoup plus royal que celui qu'elle agrafe sur ses épaules. Je l'aime, je l'adore, Tirésias; auprès d'elle il me semble que j'occupe enfin ma vraie place. C'est ma femme, c'est ma reine. Je l'ai, je la garde, je la retrouve, et ni par les prières ni par les menaces, vous n'obtiendrez que j'obéisse à des ordres venus je ne sais d'où.

TIRÉSIAS

Réfléchissez encore, Œdipe. Les présages et ma propre sagesse me donnent tout à craindre de ces noces extravagantes; réfléchissez.

ŒDIPE

Il serait un peu tard.

TIRÉSIAS

Avez-vous l'expérience des femmes?

ŒDIPE

Pas la moindre. Et même je vais porter votre surprise à son comble et me couvrir de ridicule à vos yeux : je suis vierge!

TIRÉSIAS

Vous!

ŒDIPE

Le pontife d'une capitale s'étonne qu'un jeune campagnard mette son orgueil à se garder pur pour une offrande unique. Vous eussiez préféré pour la reine un prince dégénéré, un pantin dont Créon et les prêtres tireraient les ficelles.

TIRÉSIAS

C'en est trop!

ŒDIPE

Encore une fois, je vous ordonne...

TIRÉSIAS

Ordonne? L'orgueil vous rend-il fou?

ŒDIPE

Ne me mettez pas en colère. Je suis à bout de patience, irascible, capable de n'importe quel acte irréfléchi.

TIRÉSIAS

Orgueilleux!... Faible et orgueilleux.

ŒDIPE

Vous l'aurez voulu.

Il se jette sur Tirésias les mains autour de son cou.

TIRÉSIAS

Laissez-moi... N'avez-vous pas honte?...

ŒDIPE

Vous craignez que sur votre face, là, là, de tout près et dans vos yeux d'aveugle, je lise la vraie vérité de votre conduite.

TIRÉSIAS

Assassin! Sacrilège!

ŒDIPE

Assassin! je devrais l'être... J'aurai sans doute un jour à me repentir d'un respect absurde et si j'osais... Oh! oh! mais! dieux! ici... ici... dans ses yeux d'aveugle, je ne savais pas que ce fût possible.

TIRÉSIAS

Lâchez-moi! Brute!

ŒDIPE

L'avenir! mon avenir, comme dans une boule de cristal.

TIRÉSIAS

Vous vous repentirez...

ŒDIPE

Je vois, je vois... Tu as menti, devin! J'épou-

serai Jocaste... Une vie heureuse, riche, prospère,
deux fils... des filles... et Jocaste toujours aussi
belle, toujours la même, une amoureuse, une
mère dans un palais de bonheur... Je vois mal,
je vois mal, je veux voir! C'est ta faute, devin...
Je veux voir!

Il le secoue.

TIRÉSIAS

Maudit!

ŒDIPE, se rejetant brusquement en arrière,
lâchant Tirésias et les mains sur les yeux.

Ah! sale bête! Je suis aveugle. Il m'a lancé
du poivre. Jocaste! au secours! au secours!...

TIRÉSIAS

Je n'ai rien lancé. Je le jure. Vous êtes puni
de votre sacrilège.

ŒDIPE, il se roule par terre.

Tu mens!

TIRÉSIAS

Vous avez voulu lire de force ce que
contiennent mes yeux malades, ce que moi-
même je n'ai pas déchiffré encore, et vous êtes
puni.

ŒDIPE

De l'eau, de l'eau, vite, je brûle...

TIRÉSIAS, il lui impose les mains sur le visage.

Là, là. Soyez sage... je vous pardonne. Vous êtes nerveux. Restez tranquille, par exemple. Vous y verrez, je vous le jure. Sans doute êtes-vous arrivé à un point que les dieux veulent garder obscur ou bien vous punissent-ils de votre impudence.

ŒDIPE

J'y vois un peu... on dirait.

TIRÉSIAS

Souffrez-vous?

ŒDIPE

Moins... la douleur se calme. Ah!... c'était du feu, du poivre rouge, mille épingles, une patte de chat qui me fouillait l'œil. Merci...

TIRÉSIAS

Voyez-vous?

ŒDIPE

Mal, mais je vois, je vois. Ouf! J'ai bien cru que j'étais aveugle et que c'était un tour de votre façon. Je l'avais mérité, du reste.

TIRÉSIAS

Il fait beau croire aux prodiges lorsque les prodiges nous arrangent et lorsque les prodiges nous dérangent, il fait beau ne plus y croire et que c'est un artifice du devin.

ŒDIPE

Pardonnez-moi. Je suis de caractère emporté, vindicatif. J'aime Jocaste; je l'attendais, je m'impatientais, et ce phénomène inconnu, toutes ces images de l'avenir dans vos prunelles me fascinaient, m'affolaient; j'étais comme ivre.

TIRÉSIAS

Y voyez-vous clair? C'est presque un aveugle qui vous le demande.

ŒDIPE

Tout à fait et je ne souffre plus. J'ai honte, ma foi, de ma conduite envers un infirme et un prêtre. Voulez-vous accepter mes excuses?

TIRÉSIAS

Je ne parlais que pour le bien de Jocaste et pour votre bien.

ŒDIPE

Tirésias, je vous dois en quelque sorte une revanche, un aveu qui m'est dur et que je m'étais promis de ne faire à personne.

TIRÉSIAS

Un aveu?

ŒDIPE

J'ai remarqué au cours de la cérémonie du sacre des signes d'intelligence entre vous et Créon. Ne niez pas. Voilà. Je désirais tenir mon identité secrète; j'y renonce. Ouvrez vos oreilles,

Tirésias. Je ne suis pas un vagabond. J'arrive de Corinthe. Je suis l'enfant unique du roi Polybe et de la reine Mérope. Un inconnu ne souillera pas cette couche. Je suis roi et fils de roi.

TIRÉSIAS

Monseigneur. (*Il s'incline.*) Il était si simple de dissiper d'une phrase le malaise de votre incognito. Ma petite fille sera si contente ..

ŒDIPE

Halte! Je vous demande en grâce de sauvegarder au moins cette dernière nuit. Jocaste aime en moi le vagabond tombé du ciel, le jeune homme surgi de l'ombre. Demain, hélas! on aura vite fait de détruire ce mirage. Entretemps, je souhaite que la reine me devienne assez soumise pour apprendre sans dégoût qu'Œdipe n'est pas un prince de lune, mais un pauvre prince tout court.

Je vous souhaite le bonsoir, Tirésias. Jocaste ne tardera plus. Je tombe de fatigue... et nous voulons rester tête à tête. C'est notre bon plaisir.

TIRÉSIAS

Monseigneur, je m'excuse. (*Œdipe lui fait un signe de la main. A la sortie de droite, Tirésias s'arrête.*) Un dernier mot.

ŒDIPE, avec hauteur.

Plaît-il?

TIRÉSIAS

Pardonnez mon audace. Ce soir, après la fermeture du temple, une belle jeune fille entra dans l'oratoire où je travaille et, sans s'excuser, me tendit cette ceinture en disant : « Remettez-la au seigneur Œdipe et répétez-lui textuellement cette phrase : Prenez cette ceinture, elle vous permettra de venir jusqu'à moi lorsque j'aurai tué la bête. » A peine avais-je empoché la ceinture que la jeune fille éclata de rire et disparut sans que je puisse comprendre par où.

ŒDIPE, il lui arrache la ceinture.

Et c'était votre dernière carte. Déjà vous échafaudiez tout un système pour me perdre dans l'esprit et dans le cœur de la reine. Que sais-je? Une promesse antérieure de mariage... Une jeune fille qui se venge... Le scandale du temple... l'objet révélateur...

TIRÉSIAS

Je m'acquitte d'une commission. Voilà tout.

ŒDIPE

Faute de calcul, méchante politique. Allez... portez en hâte ces mauvaises nouvelles au prince Créon.

Tirésias reste sur le seuil.

Il comptait me faire peur! Et c'est moi qui vous fais peur, en vérité, Tirésias, moi qui vous effraie. Je le vois écrit en grosses lettres sur votre visage. L'enfant n'était pas si facile à terroriser. Dites que c'est l'enfant qui vous effraie, grand-père? Avouez, grand-père! Avouez que je vous effraie! Avouez donc que je vous fais peur!

> Œdipe est à plat ventre sur la peau de bête. Tirésias, debout, comme en bronze. Un silence. Le tonnerre.

TIRÉSIAS

Oui. Très peur.

> Il sort à reculons. On entend sa voix qui vaticine.

Œdipe! Œdipe! écoutez-moi. Vous poursuivez une gloire classique. Il en existe une autre : la gloire obscure. C'est la dernière ressource de l'orgueilleux qui s'obstine contre les astres.

> Œdipe resté regarde la ceinture. Lorsque Jocaste entre, en robe de nuit, il cache vite la ceinture sous la peau de bête.

JOCASTE

Eh bien? Qu'a dit le croquemitaine? Il a dû te torturer.

ŒDIPE

Oui... non...

JOCASTE

C'est un monstre. Il a dû te démontrer que tu étais trop jeune pour moi.

ŒDIPE

Tu es belle, Jocaste!...

JOCASTE

... Que j'étais vieille.

ŒDIPE

Il m'a plutôt laissé entendre que j'aimais tes perles, ton diadème.

JOCASTE

Toujours abîmer tout! Gâcher tout! Faire du mal!

ŒDIPE

Il n'a pas réussi à m'effrayer, sois tranquille. Au contraire, c'est moi qui l'effraie. Il en a convenu.

JOCASTE

C'est bien fait! Mon amour! Toi, mes perles, mon diadème.

ŒDIPE

Je suis heureux de te revoir sans aucune pompe, sans tes bijoux, sans tes ordres, simple, blanche, jeune, belle, dans notre chambre d'amour.

JOCASTE

Jeune! Œdipe... Il ne faut pas de mensonges...

ŒDIPE

Encore...

JOCASTE

Ne me gronde pas.

ŒDIPE

Si, je te gronde! Je te gronde, parce qu'une femme telle que toi devrait être au-dessus de ces bêtises. Un visage de jeune fille, c'est l'ennui d'une page blanche où mes yeux ne peuvent rien lire d'émouvant; tandis que ton visage! Il me faut les cicatrices, les tatouages du destin, une beauté qui sorte des tempêtes. Tu redoutes la patte d'oie, Jocaste! Que vaudrait un regard, un sourire de petite oie, auprès de ta figure étonnante, sacrée: giflée par le sort, marquée par le bourreau, et tendre, tendre et... (*Il s'aperçoit que Jocaste pleure.*) Jocaste! ma petite fille! tu pleures! Mais qu'est-ce qu'il y a?... Allons, bon... Qu'est-ce que j'ai fait? Jocaste!...

JOCASTE

Suis-je donc si vieille... si vieille?

ŒDIPE

Chère folle! C'est toi qui t'acharnes...

JOCASTE

Les femmes disent ces choses pour qu'on les contredise. Elles espèrent toujours que ce n'est pas vrai.

ŒDIPE

Ma Jocaste!... Et moi stupide! Quel ours infect... Ma chérie... Calme-toi, embrasse-moi... J'ai voulu dire...

JOCASTE

Laisse... Je suis grotesque.

Elle se sèche les yeux.

ŒDIPE

C'est ma faute.

JOCASTE

Ce n'est pas ta faute... Là... j'ai du noir dans l'œil, maintenant. (*Œdipe la cajole.*) C'est fini.

ŒDIPE

Vite un sourire. (*Léger roulement de tonnerre.*) Ecoute...

JOCASTE

Je suis nerveuse à cause de l'orage.

ŒDIPE

Le ciel est si étoilé, si pur.

JOCASTE

Oui, mais il y a de l'orage quelque part. Quand la fontaine fait une espèce de bruit comme du silence, et que j'ai mal à l'épaule, il y a de l'orage et des éclairs de chaleur.

Elle s'appuie contre la baie. Eclair de chaleur.

ŒDIPE

Viens, viens vite...

JOCASTE

Œdipe!... viens une minute.

ŒDIPE

Qu'y a-t-il?

JOCASTE

Le factionnaire... regarde, penche-toi. Sur le banc, à droite, il dort. Tu ne trouves pas qu'il est beau, ce garçon, avec sa bouche ouverte?

ŒDIPE

Je vais lui apprendre à dormir en jetant de l'eau dans sa bouche ouverte!

JOCASTE

Œdipe!

ŒDIPE

On ne dort pas quand on garde sa reine.

JOCASTE

Le Sphinx est mort et tu vis. Qu'il dorme en paix! Que toute la ville dorme en paix. Qu'ils dorment tous!

ŒDIPE

Ce factionnaire a de la chance.

JOCASTE

Œdipe! Œdipe! J'aimerais te rendre jaloux, mais ce n'est pas cela... Ce jeune garde...

ŒDIPE

Qu'a-t-il donc de si particulier ce jeune garde?

JOCASTE

Pendant la fameuse nuit, la nuit du Sphinx, pendant que tu rencontrais la bête, j'avais fait une escapade sur les remparts, avec Tirésias. On m'avait dit qu'un soldat avait vu le spectre de Laïus et que Laïus m'appelait, voulait me prévenir d'un danger qui me menace. Eh bien... le soldat, était justement cette sentinelle qui nous garde.

ŒDIPE

Qui nous garde!... Au reste... qu'il dorme en paix, bonne Jocaste. Je te garderai bien tout seul. Naturellement, pas le moindre spectre de Laïus.

JOCASTE

Pas le moindre, hélas!... Le pauvret! je lui touchais les épaules, les jambes, je disais à Zizi « touche, touche », j'étais bouleversée... parce qu'il te ressemblait. Et c'est vrai qu'il te ressemble, Œdipe.

ŒDIPE

Tu dis : « ce garde te ressemblait. » Mais, Jocaste, tu ne me connaissais pas encore, il était impossible que tu saches, que tu devines...

JOCASTE

C'est vrai, ma foi. Sans doute ai-je voulu dire que mon fils aurait presque son âge. (*Silence.*) Oui... j'embrouille. C'est seulement maintenant que cette ressemblance me saute aux yeux. (*Elle secoue ce malaise.*) Tu es bon, tu es beau, je t'aime. (*Après une pause.*) Œdipe!

ŒDIPE

Ma déesse?

JOCASTE

A Créon, à Zizi, à tous, j'approuve que tu refuses de raconter ta victoire (*les bras autour de son cou*) mais à moi... à moi!

ŒDIPE, se dégageant.

J'avais ta promesse!... Et sans ce garçon...

JOCASTE

La Jocaste d'hier est-elle ta Jocaste de maintenant? N'ai-je pas le droit de partager tes souvenirs sans que personne d'autre s'en doute?

ŒDIPE

Certes.

JOCASTE

Et souviens-toi, tu répétais : non, non, Jocaste, plus tard, plus tard, lorsque nous serons dans notre chambre d'amour. Eh bien, sommes-nous dans notre chambre d'amour?...

ŒDIPE

Entêtée! Sorcière! Elle arrive toujours à ce qu'elle veut. Alors ne bouge plus... je commence.

JOCASTE

Oh! Œdipe! Œdipe! Quelle chance! Quelle chance! je ne bouge plus.

> Jocaste se couche, ferme les yeux et ne bouge plus. Œdipe ment, il invente, hésite, accompagné par l'orage.

ŒDIPE

Voilà. J'approchais de Thèbes. Je suivais le sentier de chèvres qui longe la colline, au sud de la ville. Je pensais à l'avenir, à toi, que j'imaginais, moins belle que tu n'es en réalité, mais très belle, très peinte et assise sur un trône au centre d'un groupe de dames d'honneur. Admettons que je le tue, pensai-je, Œdipe oserait-il accepter la récompense promise? Oserai-je approcher la reine?... Et je marchais, et je me tourmentais, et tout d'un coup je fis halte. Mon cœur sautait dans ma poitrine. Je venais d'entendre une sorte de chant. La voix qui chantait n'était pas de ce monde. Etait-ce le Sphinx? Mon sac de route contenait un couteau. Je glissai ce couteau sous ma tunique et je rampai.

Connais-tu, sur la colline, les restes d'un petit temple avec un socle et la croupe d'une chimère?

> Silence.

Jocaste... Jocaste... Tu dors?...

> JOCASTE, réveillée en sursaut.

Hein? Œdipe...

ŒDIPE

Tu dormais.

JOCASTE

Mais non.

ŒDIPE

Mais si! En voilà une petite fille capricieuse qui exige qu'on lui raconte des histoires et qui s'endort au lieu de les écouter.

JOCASTE

J'ai tout entendu. Tu te trompes. Tu parlais d'un sentier de chèvres.

ŒDIPE

Il était loin le sentier de chèvres!...

JOCASTE

Mon chéri, ne te vexe pas. Tu m'en veux?...

ŒDIPE

Moi?

JOCASTE

Si! tu m'en veux et c'est justice. Triple sotte! Voilà l'âge et ses tours!

ŒDIPE

Ne t'attriste pas. Je recommencerai le récit, je te le jure, mais il faut toi et moi nous étendre côte à côte et dormir un peu. Ensuite, nous serions sortis de cette glu et de cette lutte contre

le sommeil qui abîme tout. Le premier réveillé
réveillera l'autre. C'est promis?

JOCASTE

C'est promis. Les pauvres reines savent dormir, assises, une minute, entre deux audiences.
Seulement donne-moi ta main. Je suis trop
vieille. Tirésias avait raison.

ŒDIPE

Peut-être pour Thèbes où les jeunes filles
sont nubiles à treize ans. Et moi alors? Suis-je un
vieillard? Ma tête tombe; c'est mon menton
qui me réveille en heurtant ma poitrine.

JOCASTE

Toi, ce n'est pas pareil, c'est le marchand de
sable comme disent les petits! Mais moi? Tu me
commençais enfin la plus belle histoire du
monde, et je somnole comme une grand-mère
au coin du feu. Et tu me puniras en ne recom-
mençant plus, en trouvant des prétextes... J'ai
parlé?

ŒDIPE

Parlé? Non, non. Je te croyais attentive.
Méchante! As-tu des secrets que tu craignes de
me livrer pendant ton sommeil?

JOCASTE

Je craignais simplement ces phrases absurdes
qu'il nous arrive de prononcer endormis.

ŒDIPE

Tu reposais, sage comme une image. A tout
de suite, ma petite reine.

JOCASTE

A tout de suite, mon roi, mon amour.

> La main dans la main, côte à côte, ils ferment les
> yeux et tombent dans le sommeil écrasant des
> personnes qui luttent contre le sommeil. Un
> temps. La fontaine monologue. Léger ton-
> nerre. Tout à coup l'éclairage devient un
> éclairage de songe. C'est le songe d'Œdipe.
> La peau de bête se soulève. Elle coiffe l'Anubis
> qui se dresse. Il montre la ceinture au bout
> de son bras tendu. Œdipe s'agite, se retourne.

ANUBIS, d'une voix lente, moqueuse.

J'ai fait, grâce à ma triste enfance, des études
qui me procurent bien des avantages sur les
garnements de Thèbes et je ne pense pas que
le monstre naïf s'attende à se trouver face à face
avec l'élève des meilleurs lettrés de Corinthe.
Mais si vous m'avez joué un tour, je vous tirerai
par les cheveux. (*Jusqu'au hurlement.*) Je vous
tirerai par les cheveux, je vous tirerai par les
cheveux, je vous pincerai jusqu'au sang!... je
vous pincerai jusqu'au sang!...

JOCASTE, elle rêve.

Non, pas cette pâte, pas cette pâte immonde...

ŒDIPE, d'une voix sourde, lointaine.

Je compte jusqu'à cinquante : un, deux, trois, quatre, huit, sept, neuf, dix, dix, onze, quatorze, cinq, deux, quatre, sept, quinze, quinze, quinze, quinze, trois, quatre...

ANUBIS

Et l'Anubis s'élancerait. Il ouvrirait ses mâchoires de loup!

> Il s'évanouit sous l'estrade. La peau de bête reprend son aspect normal.

ŒDIPE

A l'aide! Au secours! au secours! à moi! Venez tous! à moi!

JOCASTE

Hein? Qu'y a-t-il? Œdipe! mon chéri! Je dormais comme une masse! Réveille-toi!

> Elle le secoue.

ŒDIPE, se débattant et parlant au Sphinx.

Oh! madame... Oh! madame, madame! Grâce, madame! Non! Non! Non! Non, madame!

JOCASTE

Mon petit, ne m'angoisse pas. C'est un rêve. C'est moi, moi, Jocaste, ta femme Jocaste.

ŒDIPE

Non! non! (*Il s'éveille.*) Où étais-je? Quelle horreur! Jocaste, c'est toi... Quel cauchemar, quel cauchemar horrible.

JOCASTE

Là, là, c'est fini, tu es dans notre chambre, dans mes bras...

ŒDIPE

Tu n'as rien vu? C'est vrai, je suis stupide, c'était cette peau de bête... Ouf! J'ai dû parler? De quoi ai-je parlé?

JOCASTE

A ton tour Tu criais : « Madame! Non, non, madame! Non, madame. Grâce, madame! » Quelle était cette méchante dame?

ŒDIPE

Je ne me souviens plus. Quelle nuit!

JOCASTE

Et moi? Tes cris m'ont sauvée d'un cauchemar sans nom. Regarde! tu es trempé, inondé de sueur. C'est ma faute. Je t'ai laissé t'endormir avec ces étoffes lourdes, ces colliers d'or, ces agrafes, ces sandales qui coupent les chevilles... (*Elle le soulève, il retombe.*) Allons! quel gros bébé! il est impossible de te laisser dans toute cette eau. Ne te fais pas lourd, aide-moi...

Elle le soulève, lui ôte sa tunique et le frotte.

ŒDIPE, encore dans le vague.

Oui, ma petite mère chérie...

JOCASTE, l'imitant.

Oui, ma petite mère chérie... Quel enfant!
Voilà qu'il me prend pour sa mère.

ŒDIPE, réveillé.

Oh! pardon, Jocaste, mon amour, je suis
absurde. Tu vois, je dors à moitié, je mélange
tout. J'étais à mille lieues, auprès de ma mère
qui trouve toujours que j'ai trop froid ou trop
chaud. Tu n'es pas fâchée?

JOCASTE

Qu'il est bête! Laisse-toi faire et dors. Toujours il s'excuse, il demande pardon. Quel
jeune homme poli, ma parole! Il a dû être
choyé par une maman très bonne, trop bonne,
et on la quitte, voilà. Mais je n'ai pas à m'en
plaindre et je l'aime de tout mon cœur d'amoureuse la maman qui t'a dorloté, qui t'a gardé,
qui t'a élevé pour moi, pour nous.

ŒDIPE

Tu es bonne.

JOCASTE

Parlons-en. Tes sandales. Lève ta jambe
gauche. (*Elle le déchausse.*) Et ta jambe droite.
(*Même jeu. Soudain, elle pousse un cri ter-*
rible.)

ŒDIPE

Tu t'es fait mal?

JOCASTE

Non... non...

> Elle recule, regarde les pieds d'Œdipe, comme une
> folle.

ŒDIPE

Ah! mes cicatrices... Je ne les croyais pas si
laides. Ma pauvre chérie, tu as eu peur?

JOCASTE

Ces trous... d'où viennent-ils?... Ils ne peuvent témoigner que de blessures si graves...

ŒDIPE

Blessures de chasse, paraît-il. J'étais dans
les bois; ma nourrice me portait. Soudain un
sanglier débouche d'un massif et la charge. Elle
a perdu la tête, m'a lâché, Je suis tombé, et un
bûcheron a tué l'animal pendant qu'il me la-
bourait à coups de boutoirs... C'est vrai! Mais
elle est pâle comme une morte? Mon chéri!
mon chéri! J'aurais dû te prévenir. J'ai tellement l'habitude, moi, de ces trous affreux. Je
ne te savais pas si sensible...

JOCASTE

Ce n'est rien...

ŒDIPE

La fatigue, la somnolence nous mettent dans
cet état de vague terreur... tu sortais d'un mauvais rêve...

JOCASTE

Non... Œdipe; non. En réalité ces cicatrices me rappellent quelque chose que j'essaie toujours d'oublier.

ŒDIPE

Je n'ai pas de chance.

JOCASTE

Tu ne pouvais pas savoir. Il s'agit d'une femme, ma sœur de lait, ma lingère. Au même âge que moi, à dix-huit ans, elle était enceinte. Elle vénérait son mari malgré la grande différence d'âges et voulait un fils. Mais les oracles prédirent à l'enfant un avenir tellement atroce, qu'après avoir accouché d'un fils, elle n'eut pas le courage de le laisser vivre.

ŒDIPE

Hein?

JOCASTE

Attends... Imagine la force qu'il faut à une malheureuse pour supprimer la vie de sa vie... le fils de son ventre, son idéal sur la terre, l'amour de ses amours.

ŒDIPE

Et que fit cette... dame?

JOCASTE

La mort au cœur, elle troua les pieds du nourrisson, les lia, le porta en cachette sur une

montagne, l'abandonnant aux louves et aux
ours.

Elle se cache la figure.

ŒDIPE

Et le mari?

JOCASTE

Tous crurent que l'enfant était mort de mort
naturelle et que la mère l'avait enterré de ses
propres mains.

ŒDIPE

Et... cette dame... existe?

JOCASTE

Elle est morte.

ŒDIPE

Tant mieux pour elle, car mon premier
exemple d'autorité royale aurait été de lui in-
fliger publiquement les pires supplices, et après
quoi, de la faire mettre à mort.

JOCASTE

Les oracles étaient formels. Une femme se
trouve si stupide, si faible en face d'eux.

ŒDIPE

Tuer! (*Se rappelant Laïus.*) Il n'est pas in-
digne de tuer lorsque le réflexe de défense
nous emporte, lorsque le mauvais hasard s'en
mêle; mais tuer froidement, lâchement, la

chair de sa chair, rompre la chaîne... tricher au jeu!

JOCASTE

Œdipe! parlons d'autre chose... ta petite figure furieuse me fait trop de mal.

ŒDIPE

Parlons d'autre chose. Je risquerais de t'aimer moins si tu essaies de défendre cette chienne de malheur.

JOCASTE

Tu es un homme, mon amour, un homme libre et un chef! Tâche de te mettre à la place d'une gamine, crédule aux présages et, qui plus est, grosse, éreintée, écœurée, chambrée, épouvantée par les prêtres...

ŒDIPE

Une lingère! c'est sa seule excuse. L'aurais-tu fait?

JOCASTE, geste.

Non, bien sûr.

ŒDIPE

Et ne crois pas que lutter contre les oracles exige une décision d'Hercule. Je pourrais me vanter, me poser en phénomène; je mentirais. Sache que pour déjouer l'oracle il me fallait tourner le dos à ma famille, à mes atavismes, à mon pays. Eh bien, plus je m'éloignais de ma ville, plus j'approchais de la tienne, plus il me semblait rentrer chez moi.

JOCASTE

Œdipe! Œdipe! Cette petite bouche qui parle, qui parle, cette langue qui s'agite, ces sourcils qui se froncent, ces grands yeux qui lancent des éclairs... Les sourcils, ne peuvent-ils pas se détendre un peu et les yeux se fermer doucement, Œdipe, et la bouche servir à des caresses plus douces que la parole.

ŒDIPE

Je te le répète, je suis un ours, un sale ours! Un maladroit.

JOCASTE

Tu es un enfant.

ŒDIPE

Je ne suis pas un enfant!

JOCASTE

Il recommence! Là, là, sois sage.

ŒDIPE

Tu as raison; je suis impossible. Calme cette bouche bavarde avec ta bouche, ces yeux fébriles avec tes doigts.

JOCASTE

Permets. Je ferme la porte de la grille; je

n'aime pas savoir cette grille ouverte la nuit.

ŒDIPE

J'y vais.

JOCASTE

Reste étendu... J'irai aussi jeter un coup d'œil au miroir. Voulez-vous embrasser une mégère? Après toutes ces émotions les dieux seuls savent comment je dois être faite. Ne m'intimide pas. Ne me regarde pas. Retournez-vous, Œdipe.

ŒDIPE

Je me retourne. (*Il se couche en travers du lit, appuyant sa tête sur le bord du berceau.*) Là, je ferme les yeux; je n'existe plus.

Jocaste se dirige vers la fenêtre.

JOCASTE, à Œdipe.

Le petit soldat dort toujours à moitié nu... et il ne fait pas chaud... le pauvret.

Elle marche vers la psyché; soudain elle s'arrête, l'oreille vers la place. Un ivrogne parle très haut, avec de longues poses entre ses réflexions.

VOIX DE L'IVROGNE

La politique!... La po-li-ti-que! Si c'est pas malheureux. Parlez-moi de la politique... Ho! Tiens, un mort!... Pardon, excuse : c'est un soldat endormi... Salut militaire; salut à l'armée endormie.

Silence. Jocaste se hausse. Elle essaie de voir dehors.

VOIX DE L'IVROGNE

La politique... (*Long silence.*) C'est une
honte... une honte...

JOCASTE

Œdipe! mon chéri.

ŒDIPE, *endormi.*

Hé!...

JOCASTE

Œdipe, Œdipe! Il y a un ivrogne, et la sentinelle ne l'entend pas. Je déteste les ivrognes.
Je voudrais qu'on le chasse, qu'on réveille le
soldat. Œdipe! Œdipe! Je t'en supplie!

Elle le secoue.

ŒDIPE

Je dévide, je déroule, je calcule, je médite,
je tresse, je vanne, je tricote, je natte, je croise...

JOCASTE

Qu'est-ce qu'il raconte? Comme il dort! Je
pourrais mourir, il ne s'en apercevrait pas.

L'IVROGNE

La politique!

> Il chante. Dès les premiers vers, Jocaste lâche
> Œdipe, repose doucement sa tête contre le
> bord du berceau et s'avance vers le milieu de
> la chambre. Elle écoute.

Madame, que prétendez-vous
Madame, que prétendez-vous
Votre époux est trop jeune,
Bien trop jeune pour vous... Hou!...

Et cætera...

JOCASTE

Ho! les monstres...

L'IVROGNE

Madame, que prétendez-vous
Avec ce mariage?

Pendant ce qui suit, Jocaste, affolée, marche sur la pointe des pieds vers la fenêtre. Ensuite elle remonte vers le lit, et penchée sur Œdipe, observe sa figure, tout en regardant de temps à autre vers la fenêtre où la voix de l'ivrogne alterne avec le bruit de la fontaine et les coqs; elle berce le sommeil d'Œdipe en remuant doucement le berceau.

L'IVROGNE

Si j'étais la politique... je dirais à la reine : Madame!... un junior ne vous convient pas... Prenez un mari sérieux, sobre, solide... un mari comme moi...

VOIX DU GARDE

On sent qu'il vient de se réveiller. Il retrouve peu à peu de l'assurance.
Circulez!

VOIX DE L'IVROGNE

Salut à l'armée réveillée...

LE GARDE

Circulez! et plus vite.

L'IVROGNE

Vous pourriez être poli...

> Dès l'entrée en scène de là voix du garde, Jocaste a lâché le berceau, après avoir isolé la tête d'Œdipe avec les tulles.

LE GARDE

Vous voulez que je vous mette en boîte?

L'IVROGNE

Toujours la politique. Si c'est pas malheureux!

Madame, que prétendez-vous

LE GARDE

Allons, ouste! Videz la place...

L'IVROGNE

Je la vide, je la vide, mais soyez poli.

> Jocaste, pendant ces quelques répliques s'approche de la psyché. Comme le clair de lune et l'aube projettent une lumière en sens inverse, elle ne peut se voir. Elle empoigne la psyché par les montants et l'éloigne du mur. La glace, proprement dite, restera fixe contre le décor. Jocaste n'entraîne que le cadre et, cherchant

la lumière, jette des regards du côté d'Œdipe endormi. Elle roule le meuble avec prudence jusqu'au premier plan, à la place du trou du souffleur, de sorte que le public devienne la glace et que Jocaste se regarde, visible à tous.

L'IVROGNE, très loin.

Votre époux est trop jeune
Bien trop jeune pour vous... Hou!...

On doit entendre le pas du factionnaire; les sonneries du réveil, les coqs, l'espèce de ronflement que fait le souffle jeune et rythmé d'Œdipe. Jocaste, le visage contre le miroir vide, se remonte les joues, à pleines mains.

RIDEAU

ACTE IV

ŒDIPE ROI
(Dix-sept ans après.)

LA VOIX

DIX-SEPT ans ont passé vite. La grande peste de Thèbes a l'air d'être le premier échec à cette fameuse chance d'Œdipe, car les dieux ont voulu, pour le fonctionnement de leur machine infernale, que toutes les malchances surgissent sous le déguisement de la chance. Après les faux bonheurs, le roi va connaître le vrai malheur, le vrai sacre, qui fait, de ce roi de jeux de cartes entre les mains des dieux cruels, enfin, un homme.

L'estrade, débarrassée de la chambre dont l'étoffe
   rouge s'envole vers les cintres, semble cernée
   de murailles qui grandissent. Elle finit par re-
   présenter le fond d'une sorte de cour. Une
   logette en l'air fait correspondre la chambre
   de Jocaste avec cette cour. On y monte par
   une porte ouverte en bas, au milieu. Lumière
   de peste.
Au lever du rideau, Œdipe, portant une petite
   barbe, vieilli, se tient debout près de la porte.
   Tirésias et Créon à droite et à gauche de la
   cour. Au deuxième plan, à droite, un jeune
   garçon, genou en terre : le messager de
   Corinthe.

ŒDIPE

En quoi suis-je encore scandaleux, Tirésias?

TIRÉSIAS

Comme toujours vous amplifiez les termes. Je

trouve, et je répète, qu'il convient peut-être
d'apprendre la mort d'un père avec moins de
joie.

ŒDIPE

Vraiment? (*Au messager.*) N'aie pas peur, petit. Raconte. De quoi Polybe est-il mort? Mérope est-elle très, très malheureuse?

LE MESSAGER

Seigneur Œdipe, le roi Polybe est mort de
vieillesse et... la reine, sa femme, est presque
inconsciente. Son âge l'empêche même de bien
envisager son malheur.

ŒDIPE, une main à la bouche.

Jocaste! Jocaste!

> Jocaste apparaît à la logette; elle écarte le rideau.
> Elle porte son écharpe rouge.

JOCASTE

Qu'y a-t-il?

ŒDIPE

Tu es pâle; ne te sens-tu pas bien?

JOCASTE

La peste, la chaleur, les visites aux hospices,
toutes ces choses m'épuisent, je l'avoue. Je me
reposais sur mon lit.

ŒDIPE

Ce messager m'apporte une grande nouvelle
et qui valait la peine que je te dérange.

JOCASTE, étonnée.

Une bonne nouvelle?...

ŒDIPE

Tirésias me reproche de la trouver bonne :
Mon père est mort.

JOCASTE

Œdipe!

ŒDIPE

L'oracle m'avait dit que je serais son assassin et l'époux de ma mère. Pauvre Mérope!
elle est bien vieille et mon père Polybe meurt
de sa bonne mort.

JOCASTE

La mort d'un père n'est jamais chose heureuse que je sache.

ŒDIPE

Je déteste la comédie et les larmes de conven-
tion. Pour être vrai, j'ai quitté père et mère
trop jeune et mon cœur s'est détaché d'eux.

LE MESSAGER

Seigneur Œdipe, si j'osais...

ŒDIPE

Il faut oser, mon garçon.

LE MESSAGER

Votre indifférence n'est pas de l'indifférence.
Je peux vous éclairer sur elle.

ŒDIPE

Voilà du nouveau.

LE MESSAGER

J'aurais dû commencer par la fin. A son lit de mort, le roi de Corinthe m'a chargé de vous apprendre que vous n'étiez que son fils adoptif.

ŒDIPE

Quoi?

LE MESSAGER

Mon père, un berger de Polybe, vous trouva jadis, sur une colline, exposé aux bêtes féroces. Il était pauvre; il porta sa trouvaille à la reine qui pleurait de n'avoir pas d'enfant. C'est ce qui me vaut l'honneur de cette mission extraordinaire à la cour de Thèbes.

TIRÉSIAS

Ce jeune homme doit être épuisé par sa course et il a traversé notre ville pleine de miasmes impurs; ne vaudrait-il pas mieux qu'il se rafraîchisse, qu'il se repose, et vous l'interrogeriez après.

ŒDIPE

Vous voulez que le supplice dure, Tirésias; vous croyez que mon univers s'écroule. Vous me connaissez mal. Ne vous réjouissez pas trop vite. Peut-être suis-je heureux, moi, d'être un fils de la chance.

TIRÉSIAS

Je vous mettais en garde contre votre habitude néfaste d'interroger, de savoir, de comprendre tout.

ŒDIPE

Parbleu! Que je sois fils des muses ou d'un chemineau, j'interrogerai sans crainte; je saurai les choses.

JOCASTE

Œdipe, mon amour, il a raison. Tu t'exaltes... tu t'exaltes... tu crois tout ce qu'on te raconte et après...

ŒDIPE

Par exemple! C'est un comble! Je reçois sans broncher les coups les plus rudes, et chacun se ligue pour que j'en reste là et que je ne cherche pas à connaître mes origines.

JOCASTE

Personne ne se ligue... mon chéri... mais je te connais...

ŒDIPE

Tu te trompes, Jocaste. On ne me connaît plus, ni toi, ni moi, ni personne... (*Au messager.*) Ne tremble pas, petit. Parle! Parle encore.

LE MESSAGER

Je ne sais rien d'autre, seigneur Œdipe, sinon que mon père vous délia presque mort, pendu par vos pieds blessés à une courte branche.

ŒDIPE

Les voilà donc ces belles cicatrices.

JOCASTE

Œdipe, Œdipe... remonte... On croirait que tu aimes fouiller tes plaies avec un couteau.

ŒDIPE

Voilà donc mes langes!... Mon histoire de chasse... fausse comme tant d'autres. Eh bien, ma foi! Il se peut que je sois né d'un dieu sylvestre et d'une dryade et nourri par des louves. Ne vous réjouissez pas trop vite, Tirésias.

TIRÉSIAS

Vous êtes injuste...

ŒDIPE

Au reste, je n'ai pas tué Polybe, mais... j'y songe... j'ai tué un homme.

JOCASTE

Toi?

ŒDIPE

Moi! Oh! rassurez-vous, c'était accidentel et pure malchance. Oui, j'ai tué, devin, mais le parricide, il faut y renoncer d'office. Pendant une rixe avec des serviteurs, j'ai tué un vieillard qui voyageait, au carrefour de Daulie et de Delphes.

JOCASTE

Au carrefour de Daulie et de Delphes!...

Elle disparaît, comme on se noie.

ŒDIPE

Voilà de quoi fabriquer une magnifique catastrophe. Ce voyageur devait être mon père. « Ciel, mon père! » Mais, l'inceste sera moins commode, messieurs. Qu'en penses-tu, Jocaste?... (*Il se retourne et voit que Jocaste a disparu.*) Parfait! Dix-sept années de bonheur, de règne sans tache, deux fils, deux filles, et il suffit que cette noble dame apprenne que je suis l'inconnu (qu'elle aima d'abord) pour me tourner le dos. Quelle boude! qu'elle boude! Je resterai donc tête à tête avec mon destin.

CRÉON

Ta femme est malade, Œdipe. La peste nous démoralise tous. Les dieux punissent la ville et veulent une victime. Un monstre se cache parmi nous. Ils exigent qu'on le découvre et qu'on le chasse. Chaque jour la police échoue et les cadavres encombrent les rues. Te rends-tu compte des efforts que tu exiges de Jocaste? Te rends-tu compte que tu es un homme et qu'elle est une femme, une femme âgée, une mère inquiète de la contagion? Avant de reprocher à Jocaste un geste d'humeur, tu pourrais lui trouver des excuses.

ŒDIPE

Je te sens venir, beau-frère. La victime idéale, le monstre qui se cache... De coïncidences en coïncidences... ce serait du beau travail, avec l'aide des prêtres et de la police, d'arriver à embrouiller le peuple de Thèbes et à lui laisser croire que c'est moi.

CRÉON

Vous êtes absurde!

ŒDIPE

Je vous crois capable du pire, mon ami. Mais Jocaste c'est autre chose... Son attitude m'étonne. (*Il appelle.*) Jocaste! Jocaste! Où es-tu?

TIRÉSIAS

Ses nerfs semblaient à bout; elle se repose... laissez-la tranquille.

ŒDIPE

Je vais... (*Il s'approche du jeune garde.*) Au fait... au fait...

LE MESSAGER

Monseigneur!

ŒDIPE

Les pieds troués... liés... sur la montagne... Comment n'ai-je pas compris tout de suite!...

Et moi qui me demandais pourquoi Jocaste...

Il est dur de renoncer aux énigmes... Messieurs, je n'étais pas un fils de dryade. Je vous présente le fils d'une lingère, un enfant du peuple, un produit de chez vous.

CRÉON

Quel est ce conte?

ŒDIPE

Pauvre, pauvre Jocaste! Sans le savoir, je lui ai dit un jour ce que je pensais de ma mère... Je comprends tout maintenant. Elle doit être terrifiée, désespérée. Bref... attendez-moi. Il est capital que je l'interroge, que rien ne reste dans l'ombre, que cette mauvaise farce prenne fin.

> Il sort par la porte du milieu. Aussitôt Créon se dépêche d'aller au messager, de l'entraîner et de le faire disparaître par la gauche.

CRÉON

Il est fou! Quelle est cette histoire?

TIRÉSIAS

Ne bougez pas. Un oracle arrive du fond des siècles. La foudre vise cet homme, et je vous demande, Créon, de laisser la foudre suivre ses caprices, d'attendre immobile, de ne vous mêler de rien.

> Tout à coup on voit Œdipe à la logette, déraciné, décomposé, appuyé d'une main contre la muraille.

ŒDIPE

Vous me l'avez tuée...

CRÉON

Tuée?

ŒDIPE

Vous me l'avez tuée... Elle est là... pendue... pendue à son écharpe... Elle est morte... messieurs, elle est morte... c'est fini... fini.

CRÉON

Morte! Je monte...

TIRÉSIAS

Restez... le prêtre vous l'ordonne. C'est inhumain, je le sais; mais le cercle se ferme; nous devons nous taire et restez là.

CRÉON

Vous n'empêcherez pas un frère...

TIRÉSIAS

J'empêcherai! Laissez la fable tranquille. Ne vous en mêlez pas.

ŒDIPE, à la porte.

Vous me l'avez tuée... elle était romanesque... faible... malade... vous m'avez poussé à dire que j'étais un assassin... Qui ai-je assassiné, messieurs, je vous le demande?... par maladresse, par simple maladresse... un vieillard... un vieillard sur la route... un inconnu.

TIRÉSIAS

Œdipe : Vous avez assassiné par maladresse l'époux de Jocaste, le roi Laïus.

ŒDIPE

Misérables!... Mes yeux s'ouvrent! Votre complot continue... c'était pire encore que je ne le croyais... Vous avez insinué à ma pauvre Jocaste que j'étais l'assassin de Laïus... que j'avais tué le roi pour la rendre libre, pour devenir son époux.

TIRÉSIAS

Vous avez assassiné l'époux de Jocaste, Œdipe, le roi Laïus. Je le savais de longue date, et vous mentez : ni à vous, ni à elle, ni à Créon, ni à personne je ne l'ai dit. Voilà comment vous reconnaissez mon silence.

ŒDIPE

Laïus!... Alors voilà... le fils de Laïus et de la lingère! Le fils de la sœur de lait de Jocaste et de Laïus.

TIRÉSIAS, à Créon.

Si vous voulez agir, ne tardez pas. Dépêchez-vous. La dureté même a des limites.

CRÉON

Œdipe, ma sœur est morte par votre faute. Je ne me taisais que pour préserver Jocaste Il me semble inutile de prolonger outre mesure

de fausses ténèbres, le dénouement d'un drame
abject dont j'ai fini par découvrir l'intrigue.

ŒDIPE

L'intrigue?...

CRÉON

Les secrets les plus secrets se livrent un jour
à celui qui les cherche. L'homme intègre qui
jure le silence parle à sa femme, qui parle à une
amie intime et ainsi de suite. (*En coulisse.*)
Entre, berger.

Paraît un vieux berger qui tremble.

ŒDIPE

Quel est cet homme?

CRÉON

L'homme qui t'a porté blessé et lié sur la
montagne d'après les ordres de ta mère. Qu'il
avoue.

LE BERGER

Parler m'aurait valu la mort. Princes, que ne
suis-je mort afin de ne pas vivre cette minute.

ŒDIPE

De qui suis-je le fils, bonhomme? Frappe,
frappe vite.

LE BERGER

Hélas!

ŒDIPE

Je suis près d'une chose impossible à entendre.

LE BERGER

Et moi... d'une chose impossible à dire.

CRÉON

Il faut la dire. Je le veux.

LE BERGER

Tu es le fils de Jocaste, ta femme, et de Laïus tué par toi au carrefour des trois routes. Inceste et parricide, les dieux te pardonnent.

ŒDIPE

J'ai tué celui qu'il ne fallait pas. J'ai épousé celle qui ne fallait pas. J'ai perpétué ce qu'il ne fallait pas. Lumière est faite...

Il sort.
Créon chasse le berger.

CRÉON

De quelle lingère, de quelle sœur de lait parlait-il?

TIRÉSIAS

Les femmes ne peuvent garder le silence. Jocaste a dû mettre son crime sur le compte d'une de ses servantes pour tâter le terrain.

Il lui tient le bras et écoute, la tête penchée.
Rumeurs sinistres. La petite Antigone, les cheveux épars, apparaît à la logette.

ANTIGONE

Mon oncle! Tirésias! Montez vite, vite, c'est épouvantable! J'ai entendu crier dans la chambre; petite mère ne bouge plus, elle est tombée tout de son long et petit père se roule sur elle et il se donne des coups dans les yeux avec sa grosse broche en or. Il y a du sang partout. J'ai peur! J'ai trop peur, montez... montez vite...

Elle rentre.

CRÉON

Cette fois, personne ne m'empêchera...

TIRÉSIAS

Si! je vous empêcherai. Je vous le dis, Créon, un chef-d'œuvre d'horreur s'achève. Pas un mot, pas un geste, il serait malhonnête de poser une seule ombre de nous.

CRÉON

C'est de la pure folie!

TIRÉSIAS

C'est la pure sagesse... Vous devez admettre...

CRÉON

Impossible. Du reste, le pouvoir retombe entre mes mains.

Au moment où, s'étant dégagé, il s'élance, la porte s'ouvre. Œdipe aveugle apparaît. Antigone s'accroche à sa robe.

TIRÉSIAS

Halte!

CRÉON

Je deviens fou. Pourquoi, pourquoi a-t-il fait cela? Mieux valait la mort.

TIRÉSIAS

Son orgueil ne le trompe pas. Il a voulu être le plus heureux des hommes, maintenant il veut être le plus malheureux.

ŒDIPE

Qu'on me chasse, qu'on m'achève, qu'on me lapide, qu'on abatte la bête immonde.

ANTIGONE

Père!

ŒDIPE

Laisse-moi... ne touche pas mes mains, ne m'approche pas.

TIRÉSIAS

Antigone!
Mon bâton d'augure. Offre-le-lui de ma part. Il lui portera chance.

> Antigone embrasse la main de Tirésias et porte le bâton à Œdipe.

ANTIGONE

Tirésias t'offre son bâton.

ŒDIPE

Il est là?... J'accepte, Tirésias... J'accepte...
Souvenez-vous, il y a dix-huit ans, j'ai vu dans
vos yeux que je deviendrai aveugle et je n'ai pas
su comprendre. J'y vois clair, Tirésias, mais je
souffre... J'ai mal... La journée sera rude.

CRÉON

Il est impossible qu'on le laisse traverser la
ville, ce serait un scandale épouvantable.

TIRÉSIAS, bas.

Une ville de peste? Et puis, vous savez, ils
voyaient le roi qu'Œdipe voulait être; ils ne
verront pas celui qu'il est.

CRÉON

Vous prétendez qu'il deviendra invisible
parce que qu'il est aveugle.

TIRÉSIAS

Presque.

CRÉON

Eh bien, j'en ai assez de vos devinettes et de
vos symboles. J'ai ma tête sur mes épaules, moi,
et les pieds par terre. Je vais donner des ordres.

TIRÉSIAS

Votre police est bien faite, Créon; mais où
cet homme se trouve, elle n'aurait plus le
moindre pouvoir.

CRÉON

Je...

> Tirésias l'empoigne par le bras et lui met la main
> sur la bouche... Car Jocaste paraît dans la
> porte. Jocaste morte, blanche, belle, les yeux
> clos. Sa longue écharpe enroulée autour du
> cou.

ŒDIPE

Jocaste! Toi! Toi vivante!

JOCASTE

Non, Œdipe. Je suis morte. Tu me vois
parce que tu es aveugle; les autres ne peuvent
plus me voir.

ŒDIPE

Tirésias est aveugle...

JOCASTE

Peut-être me voit-il un peu... mais il m'aime,
il ne dira rien...

ŒDIPE

Femme! ne me touche pas...

JOCASTE

Ta femme est morte pendue, Œdipe. Je suis
ta mère. C'est ta mère qui vient à ton aide...
Comment ferais-tu rien que pour descendre
seul cet escalier, mon pauvre petit?

ŒDIPE

Ma mère!

JOCASTE

Oui, mon enfant, mon petit enfant... Les choses qui paraissent abominables aux humains, si tu savais, de l'endroit où j'habite, si tu savais comme elles ont peu d'importance.

ŒDIPE

Je suis encore sur la terre.

JOCASTE

A peine...

CRÉON

Il parle avec des fantômes, il a le délire, la fièvre, je n'autoriserai pas cette petite...

TIRÉSIAS

Ils sont sous bonne garde.

CRÉON

Antigone! Antigone! je t'appelle...

ANTIGONE

Je ne veux pas rester chez mon oncle! Je ne veux pas, je ne veux pas rester à la maison. Petit père, petit père, ne me quitte pas! Je te conduirai, je te dirigerai...

CRÉON

Nature ingrate.

ŒDIPE

Impossible, Antigone. Tu dois être sage... je ne peux pas t'emmener.

ANTIGONE

Si! si!

ŒDIPE

Tu abandonnerais Ismène?

ANTIGONE

Elle doit rester auprès d'Etéocle et de Polynice. Emmène-moi, je t'en supplie! Je t'en supplie! Ne me laisse pas seule! Ne me laisse pas chez mon oncle! Ne me laisse pas à la maison.

JOCASTE

La petite est si fière. Elle s'imagine être ton guide. Il faut le lui laisser croire. Emmène-la. Je me charge de tout.

ŒDIPE

Oh!...

Il porte la main à sa tête.

JOCASTE

Tu as mal?

ŒDIPE

Oui, dans la tête et dans la nuque et dans les bras... C'est atroce.

JOCASTE

Je te panserai à la fontaine.

ŒDIPE, abandonné.

Mère...

JOCASTE

Crois-tu! cette méchante écharpe et cette affreuse broche! L'avais-je assez prédit.

CRÉON

C'est im-pos-si-ble. Je ne laisserai pas un fou sortir en liberté avec Antigone. J'ai le devoir...

TIRÉSIAS

Le devoir! Ils ne t'appartiennent plus; ils ne relèvent plus de ta puissance.

CRÉON

Et à qui appartiendraient-ils?

TIRÉSIAS

Au peuple, aux poètes, aux cœurs purs.

JOCASTE

En route! Empoigne ma robe solidement... n'aie pas peur...

Ils se mettent en route.

ANTIGONE

Viens, petit père... partons vite...

ŒDIPE

Où commencent les marches?

JOCASTE ET ANTIGONE

Il y a encore toute la plate-forme...

Ils disparaissent... On entend Jocaste et Antigone parler exactement ensemble.

JOCASTE ET ANTIGONE

Attention... compte les marches... Un, deux, trois, quatre, cinq...

CRÉON

Et en admettant qu'ils sortent de la ville, qui s'en chargera, qui les recueillera?...

TIRÉSIAS

La gloire.

CRÉON

Dites plutôt le déshonneur, la honte...

TIRÉSIAS

Qui sait?

RIDEAU

Saint-Mandrier 1932.

BRODARD ET TAUPIN — IMPRIMEUR - RELIEUR
Paris-Coulommiers. — France.
05.615-I-5-5434 - Dépôt légal n° 2332, 2ᵉ trimestre 1962.
LE LIVRE DE POCHE - 4, rue de Galliéra, Paris.